U0149127

文學叢刊

陳韶華著

路遠迢遙

文史哲出版社印行

謹以本書紀念先母
徐瑟女士百年冥誕

路遠迢遙

一

徐文中打開一〇八室的房門，向室內正在用功的同學道了一聲晚安，睡在他上鋪的沈宗裕立刻丟下正在閱讀的刑法總則關心的道問。

「情況好嗎？」

徐文中苦笑笑：「也許我應該多多檢討自己。」

「哦？又觸礁了？」

「正好，沒有翻船。」

「喔！」沈宗裕鬆了一口氣：「工作時間怎樣？」

「六點到十點。」

「多少錢一個月？」

「六百。」

「六百夠了！」黃天南停下揮動著的計算尺，「我也一樣六百一個月。」

「你的六百，誰都想幹！」

「哼，我正想辭掉呢！」黃天南看了沈宗裕一眼：「老沈，你若想幹，我推介你去。」

「算了，我這付長相，人家小姐不趕我走才怪哩！」

「又抬槓啦！」李旺闔上三國演義，「你們兩個抬什麼槓，文中，你決定幹這份抄寫工作？」

「不幹？要餓肚子？」徐文中回答得很淒涼，原來他晚上去應徵的是抄寫文書刻鋼版的工作。「阿旺，借的錢等關餉。做完一個月才發薪！」他聳下肩膀表示無可奈何。

「急什麼急，不夠我這裡先拿去！」

「不用了，沒飯錢再向你借。」

「隨時歡迎！」

沈宗裕和黃天南鬥了兩下子嘴，又把精神拿回去放在功課上。一〇八室整個的靜了下來，徐文中扭亮桌燈，加入了他們的行列，四個人競賽似的猛啃書本。

一刻鐘後，吃過晚飯就睡覺的陳太原揉惺忪的眼睛爬了起來，強烈的燈光照射得他睜不開眼來，他邊穿衣邊咒著：「現在是什麼時候了，還不睡覺，跟你們住一道真倒了八輩子的霉。」每次半夜醒來，他都來上這幾句，這些話，徐文中他們不知聽過多少次了，因此，沒有一個人去理應他。

「哦？小徐回來了？我還以為是趙欣看起書來了咧！」他們這一室，共有六個人，陳太原和趙欣兩人晚上從來不看書，即使是期末大考也只白天翻翻罷了。陳太原喜歡躺在床上做夢，趙欣愛往外頭跑，午夜時分，亮著燈讀書，通常就只他們四個人。

「我不回來難道叫我睡街頭？」

「睡辦公室，值夜又可多撈幾個錢。」

「太原，你別睡夠了覺話說不夠好不好？」李旺打斷陳太原的嘲弄，他生恐徐文中受不住，剛才，他已經發現徐文中今晚又一肚子氣。

「我想睡，人家還不一定肯哩！」

「哦？這麼偉大？」

「當然啦，你這個公子哥兒懂什麼！」

「誰叫你老頭命苦！」

「好啦！好啦，陳太原，你口渴了吧！」李旺拉高起聲音說。

「小徐，別生氣，嘻嘻。」陳太原笑著臉道歉。

「我才不跟你一般見識。」

「算我不對，向你敬個禮。」陳太原舉起右手，來了個標準軍禮。「喔！」突地，他像是想到什麼大事：「小徐，你有兩封信。」

「我的信？」

「嗯。」

「在那裡？」

「在我這兒。」

「拿來。」

「好像是女孩子的。」

「笑話，我會有女孩子寫來的信，除非是我妹妹。」

「你妹妹讀家專？」

「小學六年級。」

「這封卻是大直那邊寄來的。」

「我不信。」

「如果是，公開？」

「可以。」

徐文中接過信，拆開來看，一張是報社副刊室寄來的稿費收據，是上個月一篇被採用的散文的稿費；另一封果如陳太原所說的家專學生寫給他的信。

「我來讀。」陳太原搶回那封信。

「隨你的便。」

「李旺、天南、宗裕，你們仔細聽著。」陳太原大聲嚷道。

「什麼事?大驚小怪的！」門又被打開了，趙欣疲倦的把一隻腳跨過門檻。

「趙欣。你回來得正好，你看，」陳太原揚了揚手中的信紙：「小徐的女讀者寫給他的信。」

「說些什麼？」

「我正要讀。」

「快讀。」趙欣的疲倦的臉上閃過一絲的興奮。

「徐先生，很冒昧的寫這封信給你……」陳太原賣了關子，讀到這裡把話打住。

「怎麼停了？」趙欣問。

「其實沒有什麼，不過拍小徐的馬屁，說他文章寫的好，是大作家，她怎麼曉得我們大作家生活得那麼清苦哩。」

徐文中接回了信，走馬看花的把信讀了一遍，剛才那股怨恨又次升高了。

他在哭自己。什麼大作家。竟然有人這麼的瞎捧自己。寫作是他很早以前就立下的志向，可是，幾年來，他不知為此被折磨過多少次了。潘英這女孩子對他的讚美，一下子都變成嘲弄，深深的札痛了他的心。

他憤憤的把信丟在字紙簍裡，他當然不會給她回信的，處在他這種貧困的環境裡，就是他有心跟她敷衍，時間上也不會允許的；何況，他就是討厭這種阿諛人家的女人。

倒是陳太原把信重拾起來，他小聲的對徐文中說：

「你不要，我來回。」他徵求徐文中的意見。

「隨便！」

「謝謝你。」陳太原如獲至寶似的，開始也跟著他們扭亮桌燈伏案用起功來了。

趙欣躺在床上，回想著今晚彈子房那個大眼睛的計分小姐對他的微笑，心頭甜甜的，他把這微笑抱得緊緊的就這樣的走進了夢鄉。

李旺、沈宗裕、黃天南、徐文中各自看了一段書後，也相繼的熄燈上床，一〇八室裡，唯獨睡足覺的陳太原在那兒假冒徐文中的名字製造罪惡。

陳太原委實無聊透了，他借用了徐文史的名字，回信給讀家專的潘英。潘英才考進家專，服裝設計科一年級的。平時，她就對詩和散文發生了很大的興趣，讀高中的時候，她編過校刊，自己也寫過幾首小詩在校刊上發表。

徐文中的文筆帶來一股濃濃的哀愁，他的散文很有一種淒涼美。這是挑戰病態社會的心聲，也是迷失的一代的抗議。

徐文中的散文的確自成一格的，但，他的作品並不受編者的歡迎，偶而在日報副刊上登上一兩篇，一個月的稿費還不夠他吃五天的飯。編輯們一致認為，那是頹廢的文字，不適合於時下的副刊。

然而，這種文章最容易引起讀者的共鳴，幾乎每次作品刊出，就有人寫信給他，安慰他，很多多情的女子更希望能做徐文中的朋友，甚至於終身的伴侶。

潘英就是這種女孩子，徐文中忙著生活，忙著功課，一天裡頭剩下的時間尚且不夠他睡眠，他怎麼會有這種雅興呢？

倒是陳太原的雅興不淺，他替代了徐文中回了潘英的信，這一回信，很快的就又收到了對方的第二封信。陳太原就這樣假冒到底的同潘英魚雁往來了。

不再每天吃過飯就睡覺，陳太原精神奕奕起來，他竟然也提起筆來，在方格子上學著爬，他希望能像徐文中那樣，有一天自己的作品見報，自己的名字被鉛印。

一〇八室的同伴看到陳太原加入他們的讀書行列，都一致的為他高興，殊不知陳太原的這一轉變，幾乎害死了一個純潔的少女的生命。

同室六個人，現在只有趙欣一人還遊蕩不足，從來沒在放學後好好的扭亮桌燈看書，沈宗裕第一眼看見他，就大聲的問：

「喂，趙欣，今晚那裡去了。」

「打彈子。」

「每天打彈子不覺得乏味嗎？」

「你每天看書呢？」趙欣反問。

「我喜歡。古人說，書中自有黃金屋！」

「得了，我又不準備做大法官。」沈宗裕是法律系的高材生，他一心一意要通過高等考試，將來做名法官。

「人家常議論你！」

「有什麼好議論的？」

「你這樣遊蕩不覺得浪費青春嗎？」

「你們才浪費。」

「無藥可救。」

「我不要你救。」

趙欣就是這樣一種人，家裡的環境不錯，但，後母對他一直沒有好感，所以，他把人生看得很淡。

同室的人又同情又可憐趙欣，但他不在乎，他讀大學是抱著混的心思，從來不去想到畢業以後的事。

他的彈子打得很好，學校附近的彈子房他都去過，並且在那裡稱王，短暫的麻醉了那顆好勝的心；每當他踏入一家彈子房的大門口，就有好多親切的眼睛集中的投射到他身上來，同時，異口同聲的叫著——球王來了！

球王來了這句簡短的話，不知具有多少魔力深深的吸引住趙欣，使得他一上完課就往彈子房跑。

趙欣逼切需要的是英雄凱旋式的讚賞和歡呼，假如沒有這種歡呼和讚賞，他不曉得一天二十四個小時應該怎麼去過。

趙欣爬到床上去，躺下來兩眼呆楞的瞪住天花板，那個大眼睛的計分小姐的微笑飄盪在他的眼前。

那是個新來不久的計分小姐，長得很可愛，胸部好高好性感的，每次拿眼睛看人，那對山峰也跟著一齊壓迫過來，把人壓得喘不出氣來。

好幾次啦，她故意拿話挑逗趙欣，有一次是中午上課鈴響後，打彈子的同學都紛紛的放下球桿回到教室上課去了，偌大的彈子房就只剩下大眼睛和趙欣兩個人。

「喂，球王，你怎麼還不走？」

「為什麼要我走？」趙欣反問：「我沒錢？欠了你們錢？」

「錢倒不欠！」

「那為什麼趕我走？」

「大家都走了，你不要上課？」

「上什麼課，有什麼好上的，老癟臉，我喜歡看花姑娘的臉。」趙欣笑笑的看了大眼睛一眼。

「唉呀，吃起我的豆腐來了！」

「怎麼樣，豆腐不賣？」

「賣?還不到時候。」

「要等多少?」

「少來這一套,看得多了,量不了船。」

「哦?這麼偉大?」

「喂,球王,說真格的,你存什麼心思?」

「存什麼心思,我趙欣打彈子大小都喜歡!」

「吥!下流,還是大學生哩!」

「大學生也是人,孟夫子並不反對飲食男女!」

「好啦好啦,我說不過你,假如你真有心,等下去!」

趙欣是會等下去的,否則他日子過得真煩,他常想把一天二十四小時減去一半,那樣的話一定會比現在過得愜意些!

「趙欣,不抬槓,看點書嘛!」沈宗裕倒是一片好心,「免得以後懊悔!」

「懊悔什麼,老沈,道不同呀!」

道不同不相為謀,沈宗裕繼續他的大法官夢,趙欣則想他的大眼睛去。

大眼睛聽說讀過兩年初中的,出來外面跑跑也有五六年的歷史了,真說得上見過風浪的；趙欣就是喜歡這種女人，他才看不起那些沒見過世面的女同學，一天到晚把個大學生的身份掛在嘴上。

平常彈子房的小姐是很容易上釣的，她們都不過是鄉下來的女孩子，能有大學生做朋友，她們心裡倒真樂的，因此，每次彈子房換來個新小姐，不到半個月就被人釣了出去。

但是大眼睛的就不同了，並不是趙欣一個人在動她的腦筋，很多人都來參加競爭的；可是，到底是見過風浪的姑娘，她要慢慢的釣！

當然，她是喜歡趙欣的，她很欣賞趙欣那股憤世的怒氣，雖然她每時每刻笑著應付那群年輕的客人，但她心裡卻隱藏有另一種心思。

儘管她第一天來上班就看上趙欣這位球王，可是，她是個著色的少女，她並不衝動的就一骨腦兒把心裡的話說了出來，她要慢慢的磨，細心的看——她再不敢急，那年的創傷就像一次嚴重的蛇咬，她是很怕井繩的女子。

趙欣也看出來的，但他心裡也明白，對女人的心理，他是比沈宗裕他們這群書獃子懂得多的，儘管他並不愛看書。

李旺從外邊回來，這位腳踏實地的政治系高材生，家境富裕在他們這一室是全室之冠，但他並不像趙欣那樣揮霍無度，倒是同室裡有誰缺少錢用，他都慷慨的無息的貸借給他。

每次從街上回來，他總是帶點水果送給室友吃，他就是這樣處處的招呼著同室的人，因此，無形中，他就變成一〇八室的室長。

今天晚上他又帶回來兩斤香蕉，沈宗裕看到李旺回來，立刻丟下正在看的憲法讀本，笑著臉迎了上去。

「回來了！」

「只有你們兩個在？」

「文中還沒下班，天南可能又陪學生女友出去了，太原這幾天不知忙什麼沒看到人影，你的她好嗎？」

「還好，謝謝。」李旺最高興人家提起她的女朋友，「趙欣今晚回來得這麼早，睡著了？」

「才沒有哩，有什麼可吃的？」

「香蕉！快下來。」

趙欣從上舖跳下來，接過李旺遞給他的香蕉又回到床上去。沈宗裕看了趙欣一眼，冷笑笑，又拍起李旺的馬屁來了。

「喂，李旺，什麼時候讓我們看看準嫂夫人？」

「你說惠美？隨時歡迎！」

「只不過是嘴裡說說罷了。」

「怎見得？」李旺反問。

「以前問你幾次，你都這樣說，但一直未能一睹美人豐采。」

「算了，怎麼比得上你的吳秋華。」

「她是草地人！」沈宗裕一聽人家提起他的未婚妻，急急忙忙的就說她是草地人，言下頗有悔不當初之感。

「惠美也是鄉下人呀，我也是鄉下人！」李旺人老實，雖然天賦並不高，但對人誠懇忠厚，從不愛慕虛榮。

「鄉下人也有分窮人和富人的，你的她可是富家千金啊！」沈宗裕的未婚妻家境貧困，一個母親兩個妹妹都需要她教小學來養活。

「有錢沒錢又有什麼差別？」

「差得多哩！」

「宗裕，別老是往這條路去感傷，這樣下去你們會完了的！」

「完了就完了！」沈宗裕低聲的自語。

「你說什麼？」李旺問。

「沒什麼！」沈宗裕強裝著笑臉看李旺。

倒是趙欣聽到沈宗裕，他剛才說的話，禁不住的在心底呸了一聲。

不多久，徐文中、黃天南、陳太原三個陸續的回到宿舍裡來，一〇八室又整個的充實起來了。

一勾下弦月邊照著一〇八室的窗口，俯瞰著人世間這新的一代。月明、夜黑，任由他們自由行走，一個人要富要貴，做好為非，都操縱在他自己手裡。

誰都不敢說，不敢在此先下預言，這六個同室好友，將來他們要變成聖賢或不肖，誰是聖賢？誰又是不肯？

那就要看今後十年二十年環境的演化，以及他們心性的起伏了。

努力讀書的，和天天浪遊的；忠厚誠實的，和聰明狡滑的，任勞任怨的，和憤世嫉俗的，這水火的兩極，他們到底誰將是聖賢？誰又是不肖呢？

你看吧！

二

陳太原今天顯得特別匆忙，早上上課的時間，兩隻眼睛頻頻的朝手錶上看，心裡頭恨不得立刻就電鈴聲響下課。昨天晚上，他接到潘英的限時信，約定今天下午兩點在中山堂見面。

陳太原真無心上課了，腦子裡只在盤繞著那女孩的倩影，雖然，他還沒見過她，但二十來歲的女子總都是一個模樣兒，他知道，潘英應該是個身材婀娜，活潑、可愛的女孩，從她的來信可以證實，她一定也是個大膽得可愛的前衛女子。

班上有七個女同學，但陳太原從來就沒去動過她們的腦筋，當然，她們都沒什麼出奇的身段雖是個中原由，但由初相處快四年，天天見面都很熟，使人沒有什麼新鮮感。

人就是這樣喜新厭舊的動物，一個結過婚的男人，不管他太太如何的賢淑，如何的溫柔體貼，但只要有一天有另一個女子撞進了他的生活圈子裡，他就會製造太多理由遺棄了他的賢妻而跟新的女友私跑了的。這是人的通性，因之，同班的男女生，大抵都很少結成連理的，儘管他們有時看來很親暱的，可是，一談起婚字來，大家的頭腦都非常清晰的即使結成對，但到頭來也常不歡而散！

有人說，婚姻是因為男女相互之間陌生不瞭解而結合成的，等到一天熟了，徹底瞭解了，就分手離去，雖然這話說得未免太過份點，但男女之間太熟，是無法繼續相處下去的，這一點是不可否認的事實。

一個未知數的潘英使得陳太原廢寢忘食，班上的阿芳阿美都比她強，但陳太原說什麼也不會去動阿芳阿美的腦筋，他只一心一意準備赴阿英的約會去。

潘英信上說，她將穿一件胸前有勝利標誌「V」字型的純羊毛衣，那是她親手織打成的，一條緊身斑紅色長褲，手裡拿一本家專的筆記簿，裡邊有她發表過的作品的剪貼稿。

陳太原也回信說他會穿一件深咖啡色的英國製皇冠牌的西裝，手上拿一份晚報，說不定副刊上會有他的作品——陳太原上週替徐文中投寄一篇散文稿到這家晚報副刊，他在想，說不定今天剛好那篇文章登出來。

下課鈴一響，陳太原三步併成兩步的就往外頭跑，胡亂吃了一碗半飯，就又跑去學校左鄰的理髮廳把頭髮洗理了一番，看看時間，已經是一點一刻了。

從學校搭街車到中山堂，約要十五分鐘，他去買了一份晚報，打開副刊一看，果然徐文中的文章刊登出來了。

他高興得不知所措，一種吉祥的預兆浮現眼前。他心裡想，今天去約會，一定事事順利。

在車廂裡，陳太原繼續著他的美夢，差點把冒充徐文中的事給忘了。

來到中山堂，差十分兩點，陳太原左看右看，到處尋潘英這個人。

兩點五分，迎面走來一個體態輕盈，長髮披肩的美麗女子，左手挽著一本家專筆記本，臉露笑容的向陳太原走了過來。

這時的陳太原，突然緊張起來，不知所措的把手上的報紙高舉著飛揚兩下。

「請問！」潘英走到陳太原面前。「請問先生是不是姓徐？」

「我——」陳太原差點搖頭，「我，小姐，是家專潘！」

「是的，」她比他鎮靜多了：「我叫潘英，你不是徐文中先生嗎？」

「啊，是的是的！」這下，陳太原完全清醒過來了：「是的，是的，我叫徐文中！」

陳太原心裡暗叫一聲，好險啊！

「久仰大名，」潘英的口才很好，「常常拜讀徐先生的大作，徐先生真有才華！」

「那裡，那裡，潘小姐過獎了！」

「最近有沒有大作發表？」

「最近？有有，」陳太原把手上的晚報遞送給潘英：「今天有篇小文，請指教！」

「徐先生太客氣了！」她接過晚報，打開副刊。

「請指教。」陳太原重覆的說著。

「寫得太好了，」她只讀了兩句，就稱讚不絕。

約摸過了十分多鐘，潘英一口氣把徐文中這篇散文讀完，再次稱讚的說道：

「徐先生不知能不能教我寫作！」

「潘小姐太客氣了，妳不也常寫嗎？」

「是常寫，但，都被退稿！」

「潘小姐真會說笑，妳今天不是帶來妳的剪貼簿？」

「是的，在這兒！」

「讓我拜讀妳的大作！」陳太原伸手把潘英的剪貼簿接了過來。「我們找個地方坐坐。」

「好的！」

「妳看那裡比較方便？」

「你喜歡白光嗎？」

「白光？唱歌的白光？」

「不，我是說大世界戲院對面那家冰果室。」

「喔喔，我聽說過，但沒去過。」

「那兒音樂很好。」

「那我們去！」

陳太原叫過兩杯咖啡之後，開始翻讀潘英的剪貼簿，潘英真會奉承，整本剪貼簿，除去了她自己的作品之外，其他全是各報副刊上剪下來的徐文中的作品。

陳太原看到潘英對徐文中的用心，心裡不禁懊悔自己的孟浪，他忽然想抽身引退，一股離開潘英的衝動在激動著。

「寫得不好！」

「那裡，太好了，」陳太原臉上很嚴肅的對潘英說：「謝謝妳，把我的小文都剪貼上去了！」

「我在學習！」

「沒什麼值得學習的。」

「你太客氣了！」

「真的，我也不過在學習階段。」

「徐先生太客氣了！」

兩個人忽然轉變了話題，不再談論寫作的問題，相互的道述各人的家庭狀況。

潘英是宜蘭人，家裡還有一個弟弟，父母都是中級的公務員，家庭經濟還過得去。

陳太原只對她說，家庭經濟不好，因此，半工半讀，寫稿是為了賺點小稿費零用。

潘英把陳太原的話又當是看一篇好散文來欣賞，很同情他的困難，在離開白光的時候，她搶著要付賬。

「是我約你出來的！」

「不，不能讓小姐來付賬的。」

「不要這麼固執！」

「你這樣我會很難過的！」

陳太原送潘英上了返校舍的街車，一個人落寞的踱蹀在忙碌的街道上，心裡好恨自己的不爭氣。

我為什麼不是徐文中呢，看潘英她有多愛文中啊？

然而，徐文中這時正忙著整理功課，準備下課之後趕去上班，前天挨了主任一頓罵，心裡痛苦極了，想想自己的身世，淒涼不幸，假如他像陳太原那樣，父親是中央級大官，他不就可以有很多的時間用在書本上了嗎？更不必看主任的眼色了。

下課在飯廳吃晚飯，湊巧李旺也來了，他看到徐文中臉色不好，忙問他是不是發生了什麼？

「文中，什麼事不高興？」

「沒有呀！」

「今天晚上上班？」

「上班。」

「是不是在辦公室不如意？」

「…………………。」

「忍耐點，如果不如意，再找，俗話說，寄馬找馬，不定在那裡呆一輩子。」

「謝謝你，李旺。」

「假如欠小錢，我這兒先拿去。」

「不用了，我還有。」

「喔，今天晚報你看了嗎？有你的大作！」

「是嗎？」

「我買了一份，回頭幫你剪下來。」

「好的，謝謝你了！」

「你回不回宿舍？」

「不回去了，直接去上班！」

「多忍耐一點，不要跟他們嘔氣，跟他們嘔氣，等於跟自己嘔氣。」

「我知道了！」

徐文中上辦公室，今天晚上沒什麼稿件可資抄寫的，在閒來無聊當中，他忽然想到拿晚報來看看自己的文章，就在他正閱讀著那篇散文時，主任走了進來。

「看什麼？」

「沒有！」

「沒事做啊，看報！」

「……………。」

徐文中靜默不出聲的，今兒真是沒工作，否則他根本就不敢在上班時看報的。

「我替你找個事！」主任回到他的座位，從抽斗裡拿出一本客戶通訊簿。

「徐文中，把這個拿去刻一份。」

徐文中丟下報紙，必恭必敬的把客戶通訊簿拿了回去，開始刻起鋼版來。

「今天晚上把它刻好，我明天就要用。」主任離開前吩咐著。

「好的！」徐文中回答。

主任甫離開辦公室，在徐文中鄰座的同事汪大有偷偷的對徐文中說：

「別理他，前天才要小吳刻一份，今天又找你，他不過是怕人閒著。」

「沒關係，反正沒事做。」

「真討厭，我不想做了，一個月六百塊錢，他媽的，還得看他的臉色。」

「拿人財錢，又有什麼辦法！」

「又不是拿他的！」汪大有呸了一聲：「他配，還不是同我們一樣！拿薪水的，只不過早我們來幾個月！」

徐文中盡量的把怨氣往心裡壓，李旺說得對，凡事忍耐點，日子就會好過，他不想同汪大有談論下去了，他一心一意的低著頭，一字一字的刻寫下去！

徐文中寫得一手好字，因此，刻起鋼版來當然很漂亮，同時又快，不旋踵；他把一百多個客戶的通訊處，全都刻寫好了。

可是，主任到下班前一直都沒回來。他把通訊簿和臘紙一起放到主任的辦公桌上，同時留下一張字條，然後下班回宿舍。

夜的臺北，是屬於有錢人家的，貧困的人根本就無法插足其間；假如你擁有一疊花綠的鈔票，你將會有一個令你隨心所欲的夜晚。

不要以為那些美麗的女人有多高貴，只要你付得出代價，你就可以把那些歡樂場中的紅星摟抱過來，你將是個酒國王子。

看那些忽忙的街車，呼嘯而過，毫不驚奇的，老老的男人擁抱著十八姑娘示威的橫掃街道，就是那些讓東方人看來毫無美感的黑種人，他們也一樣左擁右抱的歡渡他們的夜晚。

每次經過西門町，徐文中心頭常禁不往的湧起這股怒氣，為什麼那些打扮得花枝招展的女子竟無一絲羞恥心，被一隻黑猩猩摟抱著還那般的神氣，難道她們之間真存有愛的成份嗎？

猶記得一年多前，一個競選過中國小姐的女子，當他下嫁美國擦鞋童時，常眾宣佈沒有中國人配得上她；虧她還是專科學校畢業生，把自己的民族說得一文不值。可是，最後她不是依舊回到臺北來謀生？

徐文中最看不起時下那些愛慕虛榮的女子，只顧享樂，只求虛榮，唉，古時候那些賢淑的女子何處尋覓？

他想著想著！忽然有人在他背後喚叫他：

「文中！」

「哦？天南，」他回過頭，看到舍友黃天南陪同一位打扮得入時的小姐在他的背後五六步處：「回宿舍去嗎？」

「是的，我們剛看完電影出來，來，我替你們介紹，這位是徐文中，大作家，」黃天南接著說：「她叫邵玲玲，是我學生的姊姊！」

「久仰，邵小姐，天南常提起妳！」

「真的？我也常聽黃老師說他們同室有一位寫得一手好散文的作家！」

「那裡那裡，邵小姐過獎了，只不過騙騙稿費而已！」

「徐先生真客氣，有空到我家坐坐。」

「謝謝，」徐文中向她點頭致謝。「邵小姐住在——」他轉過頭對黃天南說：「我們不同路吧？」

「我先送她回去，你先回宿舍。」

「好的，再見！」

「改天見！」

黃天南同邵玲玲向徐文中揮揮手，兩個人鑽進了一輛停在他們身邊的計程車開走了。這時節，往學校的公共汽車開始剪票上車，徐文中尾隨在人群，上了擠滿夜歸的乘客，回到學校宿舍去。

夜色很美，只是不屬於徐文中這種窮困的人。

△　△

禮拜天一早，一〇八室就忙碌了起來。好久以前，他們同室六個人就商討著在期中考後選一個週日，六個人結伴出去玩玩，他們為這一天，不知爭論過多少次了，上山下海，到什麼名勝地區，就沒有一個人提出相同的地點來。陳太原說烏來好玩，那兒有山地小姐；趙欣卻主張到南方澳看海；可是黃天南認為看海不用跑那麼遠，野柳金山一帶比南方澳更富情趣。沈宗裕主張去碧潭划船，李旺則認為陽明山逛逛最好。唯獨徐文中一直沒有開口，對山對海，他都提不起興趣來，他想利用休假日，多寫一篇文章，看看是否能賺點稿費。

可是，全室六個人，除他之外，每一個人都想出去，整天呆在學校，尤其城市裡的學校，真可悶了，李旺宣佈願意獨立捐助午餐費用。

沈宗裕看看只有徐文中沒有意見，因此，「文中，你說，我們去那兒好呢？」開口問他。

「什麼地方都好，什麼地方都不好！」

「為什麼？」黃天南問。

「我很想去，因此，去那裡我都願意；但是，我又想利用禮拜天寫篇稿子，碰碰運氣。」

「好了，好了」沈宗裕岔斷徐文中的話，「寫稿子什麼時候都能寫，大家都想出去玩玩，你何必一個人掃大家的興啊！」

「文中，出去玩玩，難得大家一起出去，相處都快四年了，等明年夏天。大家畢業分手，就沒這個機會了。」

徐文中看看李旺，點點頭，他一向最聽李旺的話，這位室長，向來都是處處照顧著他的。

「你既然答應一起去，那你就說一個地方，假如你要去的地方是我們五個人提議去的任何一個地方，我們六個人就去那裡。」

「對，李旺說得對，文中，你說說看！」趙欣也催著徐文中開口說話。

「我剛才講過什麼地方我都去！」

「是啊，但是現在大家的意見不一致，因此希望你提供寶貴意見。」

徐文中沉吟了一會兒，抬起頭來向室友掃過一眼，然後慢慢的開口說道：

「我想，我們什麼地方都去！」

「什麼地方都去？」五個人異口同聲的反問。

「恩，」徐文中回答：「我們選一個禮拜日，早上七點出發，六個人一道，先不要說去那裡，想走路就走路，要搭車大家一起上去，肚子餓了，就吃飯，口若渴了，就喝水，這樣把一天的時間毫無目的的讓它過去，我想，對我們的身心都有好處！」

「毫無目的的打發一個週日？」沈宗裕伸手抓了抓頭皮，不懂徐文中的意思。

「好！我讚成！」趙欣很快的領悟了徐文中的玄機，「文中你真了不起，現代人有幾個能像你這樣不落俗套的，我讚成你的意見。」

「不錯，文中的書沒有白讀，我們五個人都太俗氣了！」陳太原也拍手讚成。

「我明白了，文中不只是位詩人、作家，還像是得道的高僧。」李旺也稱讚著說道。

「各位學長太誇獎了，我怎麼擔當得起！」徐文中雙手抱拳的向他們道謝。

「那就這麼決定，」黃天南做個總結說：「下個禮拜天，期中考剛好考完，我們就選這一天出去。」

「好，室長多帶點錢。」沈宗裕一向最記得錢這個東西的，「路上多請我們吃零食。」

「沒問題，我身上還有一千多塊哩！」

「也多買兩卷底片帶去，多留點紀念。」

「明天中午，我就去買。」李旺很慷慨的點頭。

一事後請文中把這一天記下來，讓那些終日營鑽的人知曉，臺北還有一群追求人生至善至美的年輕人。」

六個人做過決定之後，很愉快的放下書本上床休息；徐文中躺在床上，也會心的微笑起來，好久好久，他沒有這麼開心的歡笑了。

沈宗裕不知到那兒弄了把紙傘來，他們一上路，他就把紙傘打開，不管天上的太陽有多大，他很得意的撐著紙傘走路。

「宗裕真是未雨綢繆！」趙欣打趣的對沈宗裕說。

「不錯，本想帶件雨衣，但怕老天不下雨派不上用場，因此，改帶把傘來。」

「這種天氣會有雨？」黃天南抬頭看看天空。

「沒雨遮遮太陽總可以吧！」

「又不是小姐，怕把皮膚曬黑了！」陳太原挖苦他說：「到非洲去你是小白臉，但在我們六個人之中，你卻是非洲先生。」沈宗裕出身農家，皮膚比他們五個人黑。

「奇怪，這年頭好像什麼事都做不得，帶把傘出來也惹人嫌？」沈宗裕白了陳太原一眼：「那你怎麼穿爬山鞋，今天難道準備爬山？」

「不爬山總得走路呀，這種鞋子走起路來比皮鞋舒服！」陳太原反駁的應道。

「不能干涉人家帶什麼穿什麼，今天出來，就是求個忘我！」

「李旺說得對，我們繼續向前走。」

「文中，走到那兒？」

「去搭車，我們總得離開臺北市！」

「對，離開臺北市！」

六個人於是朝火車站奔去。

週日的臺北火車店，人潮真像鄉下大拜拜日子的熙攘，很多男女情侶都約在這個地方碰頭出外遠足，上山的上山，下海的下海，他們要把一週來的緊張丟開，去享受享受大自然的風光。

然而，他們都有目的地，他們老早以前就約定好了去那裡，同時把吃的穿的用的都一併帶齊，雖沒差點把家裏的一應設備帶全，但也差不多，雖名為沐浴大自然，其實不過換個地方聊談罷了。

只有徐文中他們六個人才真懂得拋開一切，把一切世俗的煩惱整個的丟下，無憂無慮的歡樂的過一天。

「去那兒呢？」黃天南看了看火車時間表問道。

「有什麼班車？」徐文中問。

「南下有一班快車過十分進站，北上有一班普通車現在開始剪票。」

「我們買票北上。」陳太原提議。

「買到那兒？」李旺問。

「買到那兒就到那兒！」徐文中回答。

「好，大家買車票去！」

六個人就這樣各人買各人的車票：李旺最遠，他買到基隆，沈宗裕最近，只買到南港，徐文中和趙欣兩個人則同樣買到汐止，陳太原五堵，黃天南八堵。六個人一上車，相互的拿出車票一看，禁不住的哈哈大笑起來。

笑過一陣後，黃天南：

「我們在那裡下車？」

「當然是南港。」沈宗裕第一個開腔。

「為什麼當然在南港下車？」陳太原反問沈宗裕。

「我只買到南港。」

「你只買到南港就叫大家在南港下車？你這個人好自私！」

「那難道要叫我補票！」

「補票有什麼了不起。」

「補到那裡？」

「你說吧！」

「你們決定在那裡下車？」沈宗裕問大家。

「到基隆去看燈塔。」李旺提議。

「好，我就補到基隆。」沈宗裕最會拍李旺的馬屁，李旺一提說去基隆看燈塔他就馬上附合他的意思。

「基隆有什麼看頭，」陳太原故意跟沈宗裕唱反調。「基隆髒死了，我反對。」

「你是捨不得補票？」

「我才不像你沈宗裕，把幾塊錢看得比天還大。」

「好了好了，太原、宗裕兩個人別再吵了，聽聽他們三個的意見。」

「到八堵。」黃天南說。「去看看煤礦工人。」

「我去汐止。」趙欣說。「去看看菩薩廟。」

「你呢？文中。」李旺問徐文中的意思。

「去這個地方。」徐文中把車票推到李旺眼前。

「汐止？」

「恩，」徐文中點點頭，「我們去禮佛！」

聽到禮佛，五個人不約而同的肅然起敬起來，紛紛的在心田裏合什膜拜，彷彿菩薩、佛陀就在他們眼前。

不曉得是什麼力量驅使徐文中，竟突然想到山上參拜神佛；徐文中一向是堅強的男兒，照道理他原不應該在這樣年輕時想到神想到佛，他有力量，有足夠的力量去對抗這社會任何悲慘的挑戰。

難道近幾個月來的打擊已使這個剛毅的年輕人低頭？不再是昔日的英勇，那股干雲豪氣已隨著痛苦的歲月消失，再不復是滿懷偉大抱負的男子漢了！

神佛會有什麼力量支持他？當他要仆倒時，祂能扶他一把嗎？假如禮拜神佛真能產生這種偉大力量，那麼，為什麼虔誠的佛教徒仍然遭受殺戮？很多不是苦行僧的教徒依舊一貧如洗，他們要為生存艱苦的掙扎著，每當他們面對菩薩時，就不自禁的哀求著：救苦救難的佛祖菩薩啊，賜我財富，賜我權柄，好讓我過享受風光的日子！但，祂卻不聞不問，哀求你自哀求，祂不過一泥塑菩薩罷了！

可是，就有那麼多人相信神佛，徐文中他們一行六人下車步行上山；隨著上山禮佛的善男信女行列，一步步的爬階上去，每當他們提起腳跟時，心中就感到又更近菩薩一步了。

沿途的山景頗為美觀，那長青竹，細細的，一株株的排列起來，從這座山蔓延到另外一座山，走在青竹下，雜念全消，彷彿進入到另外一種世界。

趙欣這個恨世疾俗的偏激的人，陡地停止前進的腳步，俯首迎接著從竹葉隙縫裡漏照下的陽光，呆若木雞失神的站立在那兒。

「趙欣，看到你的大眼睛？」沈宗裕一向看不起趙欣，當他發覺趙欣停下腳步抬頭往上看時，他絲毫不肯放過挖苦的機會出口嘲弄室友。

在平時，即使趙欣不生氣不破口反擊，也會拿那對冷峻的眼睛瞪瞪沈宗裕；但今天，不知為什麼，他竟連理都沒理，一動也不動的照樣仰望著竹梢。

沈宗裕禁不住的怔愣了，他原準備好怎麼樣更加倍的挖苦趙欣，這在一心一意想當名法官的沈宗裕來說，當然是輕而易舉的。可是，趙欣一反平常的連看他一眼也不，他竟懵張得不知所措。

李旺看在眼裡，走過去輕輕的拍下趙欣的肩胛，催促他說：

「走啊，趙欣，菩薩還在上頭！」

「不，你們走！」

「你不去參拜菩薩？」

「我的菩薩就在這兒！」

「菩薩在這兒？」李旺不信的也往天上看。

「不要理他，趙欣瘋了！」沈宗裕總算找到說話的時機，慫恿李旺：「我們走，讓他一個人在這兒！」

「怎麼可以，同行同命，我們要一起上山去！」

「沒關係，李旺，就讓趙欣在這裡。」徐文中好似瞭解趙欣的心理，對李旺說：「回頭，我們再來找他！」

趙欣果如中魔似的，任大家去談論他，他一動不動的，站立著仰首看天。

陳太原沒理會他們，一個人朝著山上走去，他在心裡想，假如潘英也同來該有多好！自從白光冰果室晤談後，陳太原無時不在惦記著大直的潘英，雖然他們才見過一次面，可是，陳太原已經深深的被這小妮子迷住了。

陳太原的腳步愈走愈快，不一會，已經抵達山上寺廟的正殿，但是正殿當中供奉著一尊約有三尺來高趺坐蒲氈的金身佛像，佛像的兩旁書有一幅對聯，左面：苦海無邊；右面：回頭是岸。

陳太原虔誠的合什頂禮，心裡默禱著潘英，在這禮佛的時刻，他竟又懷念起潘英來。她會愛我嗎？太原心裡想，她是愛的，每次信來，總是那樣的關照，鼓勵我再接再勵，努力寫作，不要為困難所挫。

然而，每次信來，她總稱呼文中，到現在，我還是徐文中，陳太原想到這事，心裡就痛苦極了；她愛我，但她只把我當做是徐文中，她只在愛徐文中。

一時間，陳太原深深的妒嫉起徐文中來，為什麼她只關心徐文中？假如把真情告訴她，她是否會同樣的關心我？

徐文中！徐文中！你太幸福了，有一個女孩子在默默的戀著你，你好幸遇！

「太原！」正當陳太原沉吟在憤怒的世界時，徐文中也趕抵正殿，在背後喚著陳太原的名字。

「哦？」陳太原回過頭，看到來人正是他心中氣恨的人，突然間愣住了，不知手措的愣在那裡。

「太原，許什麼心願？」

「沒有！沒有！」

「怕什麼人知道嘛！是不是女朋友？據說你最近寫情書寫的很勤。」

「沒有這回事！」陳太原心想，難道徐文中已經曉得他假藉他的名字的事了嗎？「不要聽沈宗裕瞎說。」一定是沈宗裕這馬屁鬼打的小報告，有次他正在寫信給潘英，沈宗裕偷偷的站在他背後好久好久。

「宗裕沒說話啊，」徐文中莫名其妙的，怎麼陳太原扯到沈宗裕身上。

「喔…………」

徐文中沒再理會陳太原，面向著佛像，開始一陣的人神交談。

求平安？求財錢。或求婚姻？陳太原在一邊想，你徐文中這種人，他今天到底來佛前祈求些什麼？他不要女朋友，也沒什麼病痛，雖然手頭經常拮据，可是，他平常一直看不起財富。

像他這種人有什麼心願呢？他的心願是什麼？不會是瀋英她……

李旺、黃天南、沈宗裕相繼的來到佛寺前，三個人也都加入了禮佛的行列。

高考及格。豐采的穿上法衣，高坐庭上，吆喝罪犯：然後，娶一個富有的太太！

黃天南只一心一意出國去，什麼嬌妻財富都不要，只要能上新大陸，取得博士學位，然後為家國盡一份力量。

只有李旺，求佛保佑父母健康平安，惠美青春永駐；所有他認識的人都健康快樂。

五個人禮過佛，便是了卻了一個心願！大家的臉上顯得輕鬆快活，很多人不相信神佛，但神佛真有祂的存在價值，徐文中他們五個人雖然是大學四年級的知識份子，但他們有時也需要神佛的安慰。

準備吃午飯的時候；還不見趙欣的人影，李旺首先開口說：

「去找趙欣一起吃飯。」

「我去，」沈宗裕應聲的說道：「我去找他來。」

「不要你去，」陳太原看了看沈宗裕：「你去一定找不到趙欣。」

「哼，別小看人。」

「就是找到人，他也不會跟你一道來。」

李旺知道陳太原說的是實話，因此他說：

「宗裕不要去，太原也不要去，文中，你去跑一趟。」

「好的！我就去。」

「我跟文中一起去。」黃天南說。

「最好，天南同文中去。」

徐文中和黃天南沿著原路走進竹林裡，兩個人東找西找的卻沒看到趙欣的影子，這下，可把他們兩個嚇壞了，徐文中皺著眉頭，咬著下唇自言自語的：

「他會跑到那裡去？」

「不會先回去吧？」

「趙欣不是這種人，他要回去，會通知大家一聲的！」

「那他到那裡去？」

「就是說啊，他到那裡去？」

「趙——欣——」黃天南張開大口喚叫起來。

「趙——欣——」徐文中也跟著叫趙欣的名字。

兩個人在竹林裡約摸找了二三十分鐘，就是沒能找著趙欣，最後，他們又回到佛寺正殿裡來會合。

「趙欣呢？」李旺看到他們兩個回來，急迫的開口問道：「怎麼沒一起回來？」

「李旺，糟了，趙欣不知跑到那裡去！」黃天南哭喪著臉說。

「什麼？趙欣不見了？」

「是的！」徐文中回答：「我同天南跑回竹林，找了好久就是沒看見趙欣！」

「他會跑到那裡去？」

「會不會迷路？」

「可能迷路，上山之後，我們走的是小路，沒有香客。」

「我們回去找他，五個人分頭找，不管找到找不到一小時後在這裡見面。」

「好，找不到不吃飯。」陳太原第一個拔腿跑下山去。

徐文中、黃天南、李旺、沈宗裕四個人依次的跟在陳太原背後也下山找趙欣去了。

趙欣到底那裡去了？迷路？或是自個先回去？抑或不慎失足跌落山谷？……

五個人分成五路，分頭尋找趙欣。

沈宗裕幸災樂禍的從後山下去，他心裡一點也不急，找得到趙欣或找不到，他才不在乎！他選擇這條路走，主要的是想趁這個找人的機會，看看有沒有奇花異草。

早先他有心去找趙欣，他想去看看這傢伙到底在搞什麼鬼，發什麼慄，一個人在青竹林裡作啥子夢？

當然，看到趙欣，他可趁機損他兩句，尤其陳太原他們四個人不在場，他更可以一展語言天才。

可是，陳太原這傢伙卻老在跟他做對，好像是看出他的心意，開口阻止了他。

現在，他才沒這份心思，管他怎樣，一個大男人了，迷路了活該。

後山是人跡罕到的所在，沈宗裕心裡存著疙瘩，踽踽的踱下山谷來。

然而，出他意料外的，趙欣不知什麼時候竟然也到後山來。

沈宗裕驚愕的開口說不出話來，好久好久他才出聲的叫了一句：

「趙欣！你怎麼到後山來了？」

趙欣聽到有人喚叫他，抬起頭來；拿眼睛瞟瞟身後的沈宗裕，嘴角扭動了一下子，好像在回答他，有什麼好大驚小怪的，你能到我就不能來？

沈宗裕大步的奔跑過去，握住趙欣的手，臉露興奮的對趙欣說到：

「我們找得你好苦啊，李旺等你一起吃飯呢！」

「哦？」

「快，我肚子好餓。李旺說，找不到你不吃飯。」

「現在，他們人呢？」

「都分頭出來找你了。」

「對不起。」

「唉呀，老同學了嘛，道什麼歉呢！」沈宗裕忽然很關切的說道：「我們都急死了，本來我一個人出來找你的，但太原說了閒話，所以文中和天南兩個下來，可是，不多久他們卻空手回去。」

「謝謝你，宗裕，平常我都對你不很友善，你能原諒我嗎？」趙欣聽了沈宗裕的這番話，心裡很不是滋味，雖然過去相互之間的小口角，都是沈宗裕先惹起來的。

「那裡，那裡，我才不對，我最多話！」

兩個人經過這一番認錯後，以前之間的隔膜，一下子不存在了，沈宗裕拉著趙欣的手，準備回到佛寺正殿裡來，向李旺他們表功，讓陳太原知道，他沈宗裕是有辦法的人。

路上，趙欣想了很久，終於開口對沈宗裕說：

「宗裕，你們一定都把畢業後的事安排好了？」

「嗯，我們讀法律，就只有這條路。你呢？」

「我從來沒有，直到今天。」

「哦，你也做了決定？」

「是的，我想開一家彈子房，就在我們學校附近！」

「什麼？」沈宗裕張大著嘴巴，不知道說些什麼話好？大學畢業，什麼正經事不去幹，卻要開家彈子房？一心一意只聞到官味的沈宗裕，老實說，對趙欣這種想法，他實在不敢苟同！

他怎麼都想不到，趙欣會有這種想法，以前聽同學說，趙欣在追彈子房裡的計分小姐，他都不敢相信；現在，他可以恍然大悟了。

「聽說，你在追一位計分小姐，這事可是真的？」

「嗯。」

「你對她是實認真的，還是玩玩？」

「什麼玩玩的。」

「那是認真的？」

「當然當然。」

「趙欣，因此你便要為她開一家彈子房。」

「也不是全為了她。」

「那是——」

「小的時候，我就有這種想頭了」

「為什麼？」

「因為，我內行我懂得如何經營。」

「喔喔！」沈宗裕點點頭，然而，他心裡依舊不明白趙欣。

回到佛殿之後，李旺他們四個人還分頭在找，沈宗裕又同趙欣閒聊了起來。

「畢業後就開彈子房？」

「嗯，軍訓回來就正式開張。」

「那她呢？什麼時候跟她結婚？」

「也是軍訓回來。」

「你們談攏了。」

「差不多。」

「恭喜你了。」沈宗裕接著問：「家裡的人會同意嗎？」

「那是我的事。」

「伯父伯母還不知道？」

「當然，我剛剛才做的決定。」

「哦？是在山下青竹林裡那段時間？」

「是的，在青竹林下，我悟覺了，我不應該再糊混下去，大學都快畢業了，應對自己有個打算。」

「是的，做生意能賺大錢，不像我們做公務員的，這一生，我是甭想賺到大錢了。」

「你說到那裡去，宗裕，做法官可是光宗耀祖的事呢。」

「是嗎？」沈宗裕心裡好樂，但故意裝不懂的反問趙欣。

「當然是啊，我父親以前也一直逼我考司法官。」

「那你為什麼不考？」

「我是做官的料嗎？」

「怎麼不是。」

「你別說笑，宗裕，假如我做了官，那老百姓可是倒了十八輩子的霉。」

「哦?怎麼說?」

「像我這種懶散的人，從沒養成今日事今日畢的良好習慣，舉個例子來說，假如我穿上法衣，高坐法庭，那不案件堆積如山才怪!」

「案積如山總比斷案不明好。」

「當然是，可是，該辦的案未辦，該申的冤沒申，即不也一樣?」

「對對，趙欣你說得很對。」

「這一方面，宗裕你就沒有這個毛病。」

「哦?那我是可以做了?」

「當然，你現在不就在準備做嗎?」

「其實司法官也是公務員。」

「當然，官吏是人民的公僕，司法官雖然名之為官，還是拿薪水的公務員。只是，有些公務員他們手裡握有某一種權，假如運用得不好，不恰當，就可以出錯出亂子，古人說，含冤莫申，這句話，你應該時刻的記在心頭，常常拿來檢討。」

「我拼命在讀書，而你又說我可以今日案今日畢，不至於懶散而荒忽了工作，我想，假如我進入法院工作，不會造成什麼冤獄的吧?」

「是的，宗裕，你不會，在這一方面，我信得過你，你出生貧苦的農村，又是師範畢業的，在大學裡，幾乎師範生都是勤儉用功的，不過，有一點——」

「你說，趙欣，那一點，我們是老同學了，你不要客氣的告訴我，讓我以後能夠做到不害人的地步。」

「今天我即然同你聊起來，就準備把這事告訴你，其實，這不僅是你可能犯上的毛病，可以說是整個做官——據有某種權力的公務員都可能有的過錯！」

「真那麼嚴重？」

「當然是啦。」

「是什麼？」

「這個字認得吧！」趙欣把沈宗裕的右手拉過來，在手掌上寫了一個大錢字。

「錢？」沈宗裕面紅耳赤的，傻望著面露嚴肅的趙欣，「你是說貪污？」

「嗯嗯。」趙欣點點頭。

「檢察官或推事又不管錢！」沈宗裕支吾的說著。

「宗裕，你是聰明人，心裡一定明白，不錯，司法人員不是會計出納，不管錢，但，有人會為了某件案送錢，就是送紅包，要你把大罪化小，小罪化無；或是輸反贏，贏判罪，造成無可奈何的冤獄。」

「趙欣，你別說得那麼嚴重，難道我是這樣愛錢的人嗎？」

「我不是說你，愛不愛錢，只有到時候才知道，有些人口裡堅持不要錢，但心裡卻不是那一回事，當然，我不是說你，很多人在沒機會要錢的時候都很清高，可是，一旦機會來了，比什麼人都不肯放棄！」

「………。」

「宗裕，這只是我這個老朋友的一點贈言，我相信你不會的，但我怕，同時也不願見到老同學知法犯法。」知法兩個字，把沈宗裕說得樂暈暈的，犯法兩個字卻禁不住的讓他打了寒噤。

「謝謝你，趙欣，我一定把你的話謹記心頭。」

「但願你一帆風順。」

「彼此彼此！」

不多久，李旺、徐文中、黃天南和陳太原相繼的回來，六個人聚集在佛寺左層八角亭裡，吃他們從臺北帶出來的西點麵包。

吃過飯後，沈宗裕把趙欣剛才告訴他的有關畢業之後的計劃，轉述給大家聽，李旺等四個人聽了沈宗裕的話後，都禁不住的關心的追問起趙欣這事是否真的？

「當然真的。」趙欣很嚴肅的回答他們。「你們認為有什麼不妥？」

「沒有！沒有！」黃天南回答：「我們只是——只不過想知道你對彈子房生意是否有把握？」

「你們不是常責備我整天泡在彈子房嗎？我是在那裡研究生意的！」

「對對，趙欣是在那裡做生意！」陳太原笑笑的看著趙欣，他口中說的生意是談戀愛的雙關語。

「哦，對了，趙欣，你那位小姐怎麼樣了？」李旺也靈機一動問起趙欣那位大眼睛姑娘來。

「很好，我們很好。」趙欣回答。

「趙欣，」這次，輪到沈宗裕開口：「到現在為止，我們還不知道你那位大眼睛姑娘，貴姓芳名呢？」

「喔！她，她姓周，叫春花。」

「那裡人？」緊接著陳太原問道：「幾歲了？」

「今年，二十……」趙欣頓下來。笑笑：「好像是二十二，女人的年齡，總是——」

「總是保密。」

「嗯。」

「你們真的一年後軍訓回來結婚？」

「有這個計劃，假如沒什麼大變化的話，那時請大家一起來喝杯水酒，祝福我們。」

「一定來，一定來，恭喜你，趙欣。」五個人異口同聲的應道。

談過一陣話，李旺有些羞答的抬起頭來望望大家，帶著一種喜悅的興奮告訴他們：

「也許我跟趙欣一樣，軍訓後請大家來——」他笑笑，打住。

「哦？你要跟惠美結婚了？」沈宗裕很羨慕的第一個開口大聲的嚷道。

「嗯。」李旺點點頭：「前次家父來信，同意我們的婚事。」

「真恭喜你了，李旺。」沈宗裕又不落人後的說道：「你跟惠美，是天生一對。」

他剛把話說出口，忽然記起趙欣同大眼睛，馬上接著下去說：「趙欣他們可是地造一雙，我們一〇八室，倒是喜氣洋洋了哩。」

「可不是嗎，天南、太原聽說你們也都有了，」徐文中也開口應道：「有天晚上，我在西門町見過天南的女朋友邵小姐，不錯，長得很漂亮。跟我們天南老哥可也是珠聯璧合的。」

「文中，你別這樣說好不好，邵小姐只是我學生的姊姊，怎麼會是——」

「怎麼不是，學生的姊姊可有什麼關係。」

「唉呀，你們真是，我同她……」

「同她怎麼樣？敢情不只是女朋友，已經更進一步了？」

「你別損人好不好，宗裕，我可沒關係，人家邵小姐是大家閨秀。」

「嘿，不是女朋友都這麼幫她護她了，一旦討進門來，那準是胡博士的門徒。」

「胡博士？」黃天南不解的。

「胡適之自己承認，是怕老婆的男人。」徐文中替黃天南解釋疑惑。

「怕老婆才會致富，是大丈夫行為。」陳太原也插上一腳。

「哦？真有這回事？」趙欣有些不信的問大家。

「常聽老一輩的這麼說，不過，」李旺不全贊成的加上補充：「夫婦之間，應該相互尊重才好，不應該男怕女，或女怕男。」

「對，李旺的話有道理。」徐文中說道：「有些名女人實在太不像話，常沖著眾人給自己的先生難堪，讓他下不了臺，她以為這樣就是御夫有術。」

「什麼御夫有術，假如我討到這樣老婆，不打死她才怪。」

「宗裕，別把話說得太早，到時候，嘿！」

「喔，對了，」李旺記起來：「宗裕，你跟吳秋華的事怎麼了？最近好像很少聽到你談到她。」

「她——」

「她怎麼啦？」

「沒有！沒有，她很好。」

「你們什麼時候？」

「我們？」沈宗裕苦笑笑，搖搖頭：「還早！」

「還早？為什麼？」

「功名未就。」沈宗裕學戲臺上的小生唱道：「等我高考及格之後，有了固定收入才講。」

「宗裕這樣也對，」徐文中助他一臂之力：「我最瞭解宗裕的心情，因為，我們同是農村來的貧窮人家。」

「說什麼貧富，文中，你不是最不把錢放在心上的嗎？」李旺問道。

「我是不錯，不在乎錢；可是，女人，那一個女人願意自己嫁個窮夫婿？」徐文中輕輕的嘆口氣：「王寶釧的故事只適合在舞臺上演，不能放之現實社會。」

「沒這麼嚴重吧？文中。」

「李旺，你當然這樣想，你家裡有的是錢啊，但，我卻不能不這麼擔心。」

「文中說得不錯，今天這社會，錢是很要緊的事的。」沈宗裕也嘆口氣說。「我們可以一塊錢一個饅頭過一天，但，她怎會心甘情願這樣跟你生活？」

「就是嘛，貧賤夫妻百事哀！」

常聽人說，貧窮的可怕和罪惡，事實上，貧窮本身並不可怕，也非什麼罪惡。但貧窮經常的同罪惡連結在一起，製造了許多可怕的事件。沒錢人家的子女，不僅無法得到父母的培育，享受童年的歡樂；年紀稍大，男的就得出賣力氣反哺養家，而女的更可憐的必須出賣靈肉為父養賭弄酒，為親生母親養病養老。說什麼天倫之樂？兩代之間，只有仇恨的存在，這製造仇恨的罪人，就是貧窮。

很多人為反抗貧窮而失去了理智，他們不僅反抗貧窮，甚至於反抗傳統，反抗一切倫常，最後成了家庭、社會、國家民族的大罪人，這些，都是貧窮所一手導演出來的可怕後果。

因此，貧窮可怕嗎？貧窮罪惡嗎？沒有處過貧窮的人他是無法瞭解的。李旺是富家子，要錢有錢用，他能瞭解一天只有一塊錢買饅頭的日子嗎？他既然不能瞭解這種一個饅頭的日子，那麼，他更不能去推算什麼王寶釧型的女子的寒窰生活了。徐文中的話是充滿著血淚的教訓的，他的話給每一個人的心田上塗抹上一層恐怖的陰影，加強了沈宗裕日後拋棄吳秋華的積心。

李旺一向尊重徐文中的才識的，過去，他們之間很少對問題有所爭執，徐文中不常發言，尤其在李旺說話的時候。兩三年來，徐文中一直是李旺的債務人，雖然那個數目不大，不過幾百塊錢，好多次，徐文中想盡最大努力把這筆錢還了，可是，每次要償還清了，突發的事件卻又發生了。

很多人不諒解長期貸款人的痛苦，甚至於把他們形容做「資深貸款人」，以言語或文字來挖苦他們，固然，他們所指的是一般社會上的借貸者，不是學生圈子裡的人，有一個在晚報寫漫罵惠欄的假老人，曾不惜浪費篇幅的一而再，再而三四五六篇的罵下去，把借錢的朋友罵到十八層地獄還不肯罷休，非得連自己也追到十八層地獄再捶他兩拳心頭才舒服。徐文中向來敬仰寫文的老前輩，但自從看到此老發瘋的滾鼓之後，就不免厭惡起他來了。

他常想，把欠人家的錢一五一十的償還清楚，有時夢裡突然的夢見自己已經不缺少人家錢財了，高興得從床鋪上跳起來！可是，當清醒的剎那，卻又不禁悲從中來。

他是夠得上被稱為「資深的貸款人」的，因為，一年到頭他都欠少別人的錢，一直無法還清；可是，他絕無那些寫文的人筆下討伐的貸款人的醜惡；他時刻的在想，償還那些借款，然而，就是一直無能為力。

徐文中今天的揮嘴把李旺的自尊心打擊了一下，當然最高興的是沈宗裕了，因為，徐文中的幫忙，使得他心中的構圖有了支柱，在室友間，自己的地位無形中提高啦。

六個人結速了一天的旅遊，這個不僅是散散心的佛山行，回到臺北已是萬家燈火的時刻了。

三

趙欣像往常一樣，一有空閒就往彈子房跑，他到彈子房，已經不只是打彈子了，他是來保護他的春花姑娘。

彈子房本來是很高尚的地方，在歐美，它是一種高級的室內運動，然而，傳到東方來之後，它卻變成地痞流氓滋事生非的場所。

很多吃彈子飯的小流氓每天聚集在彈子房裡，他們隨時去發掘可資欺負的球客。他們之間，有人球技很高，假如球客中有想賭一盤球的人，他們之中的高手就會跳出來，跟你來上一盤球，當然，錢就會被他們贏到手。如果不幸這個球客技高一籌，反把他們的球贏了，就有老大哥出面講話，如果這個球客識相的話，拍拍屁股走人，那將是最有利於他的；反之，球客若堅持要贏末盤，那他只有吃不完兜著走了。

還有更惡劣的，那就是彈子房的唯一女性——計分員，她常要受制於這個地區的流氓頭兒，有時候孝敬錢財之外，還得把肉體也孝敬上去。

因春花五年前在嘉義初任計分員，就不幸的遭遇到這種事。

那時，因春花還是個純潔得什麼事兒都不懂的鄉村女孩子，由於她有一對明亮的大眼睛，第一天到彈子房來就很快的被小地痞們盯上了。

也合該她周春花劫數難逃，她服務的這家彈子房的「管區」老大，年紀不過二十來歲，酒賭都無興趣，就偏偏寡人有疾，好色成性，是一頭道地的色狼，幾乎在他地盤上稍有姿色的計分員都被他玩過，陪他睡過覺。

那天周春花才上班一個禮拜，正在打烊後清理彈子檯，突然王弘道這隻色狼闖了進來。

「對不起，」周春花不知曉王弘道就是她們的「管區」，很有禮貌的對他說：「我們打烊了，請明天再來！」

「哦？這麼早就關門了。」王弘道一雙色迷迷的眼睛直盯著周春花的臉蛋，把她看得抬不起頭來。

「這是政府規定的時間，過十二點就不得營業。」小妮子不知天高地厚。一本正經的把老闆娘教她的話對王弘道說了出來。

「咗！規定的時間，」王弘道不屑的低咗了一聲；臉上露著一種莫名其妙的茫然。

「那真巧，好久沒打彈子了，今晚出來卻碰到你們關門！」

「對不起，」周春花再次的向客人道歉，「明天來玩好了，我們歡迎您。」

「哦？你歡迎我？歡迎我來玩？」

「嗯。」周春花露著雪白的貝牙說：「每一個客人我們都歡迎來玩。」

「我卻不喜歡跟很多人一起玩，只要跟你一個人玩……」王弘道開始下流起來了。

「我不會玩，我才出來沒多久。」周春花下意識的感到不對，「我不會打彈子的，我只做了七天。」

「不會沒關係，我可以教你，很好玩的……」

「我不會，我……請你明天來好了，我要打掃……」

「不用掃了，」王弘道走上前去，伸開手把周春花手上的掃牀具搶了過來，「陪我玩玩，我現在就想玩。」他猛一撲身，把周春花抱進懷裡。

「唉呀！唉！你是幹什麼，你這是幹什麼！」

「親親，小乖乖，你長得真漂亮！」

「你放手，你再不放手，我要叫，我……老闆娘，娘！娘——」

老闆娘在樓上聽到周春花的喚叫聲，三步併成兩步的跑下樓來，起先，她很震怒的，竟敢有人跑到自己店戶撒野，可是，當她發覺那個調戲春花的人竟是王弘道時，她幾乎全身癱瘓了，良久良久，才陪著笑臉說道：

「哦，小王，這麼晚才來啊！」

「阿娘，」王弘道親熱的喚了老闆娘：「您老好。」

「好啊，你怎麼很少來我們家。」

「很忙，最近比較忙一點。」王弘道看了看老闆娘兩眼，有些生氣的對她說：「娘，什麼時候來了個這麼漂亮的小姐也不通知我一聲，要不是今晚阿娘去我那裡，我還以為我們番仔溝都沒生氣哩！」

「才來幾天，你就急成個樣子了！」

「娘，您老是知道的，我……我……嘻嘻！」

「好了，好了，娘會成全你就是了，唉！」她長長的嘆了一口氣：「看你這個孩子，讓我替你介紹介紹：春花，他就是我們這裡的球王，王弘道，大家都叫他小王，他不過跟你開玩笑，妳別怕他。」

周春花抖縮縮的偷看了王弘道一眼，很快的轉身跑上樓去。

從此以後，王弘道幾乎每天晚上來纏她，一直到有一天晚上，他們番仔溝地區大拜拜，在老闆娘的協同下，把周春花灌醉，被王弘道帶到他房間才罷休。

每當想起這件事，周春花就恨不得生噬王弘道的肉，喝他的血，可是，自己不過是個小小弱女子，而對方卻是一地之惡，又奈其何？

之後，周春花輾轉各地充任計分員，雖然也又碰上幾個王弘道這種人，但他從痛苦中得來的經驗總算把對方一個個的打發走了。

到這兒來之後，雖然有不少人動她的腦筋，但她都沒去理睬他，只有趙欣，第一次看到他，儘管記憶中有過不愉快的事件，但她也不禁雀躍的奔向他。

然而，心裡頭的那個陰影使得她不敢大膽的投入趙欣的懷抱，直到最近，趙欣的真情感動了她，她才釋然的又恢復了昔日的真誠，不再是經過風浪的著色的少女了。

趙欣在計分桌旁的椅子上坐了下來，周春花的心頭禁不住的湧上一股甜意，開口對他說：

「喂，玩得快樂嗎？」

「還好，」趙欣說：「後山真幽靜，改天我陪妳去。」

「真的？」

「當然真的，只不知妳是否有空！」

「有有，下個禮拜天我休假。」

「那我們就那天去好了！」

「一言為定。」

「一言為定。」

正當周春花同趙欣談得興起的時候，那個黑黑的高黑漢子球客突然咆哮起來：

「妳眼睛瞎了！我進了黑球七分，妳卻記在他的頭上，妳他媽的，老子打彈子是要花錢的！」

「對不起，對不起！」周春花很快的把分數記正過來，並頻頻的向客人道歉。

「對不起就算了，媽的，老子打了幾百次彈子，就沒碰到過像妳這樣的亂騷婆，不好好記分，一昧的向小白臉發騷，真倒了他媽的十八代的霉！」

趙欣本以為周春花向他道歉就沒事了，雖然這事是錯在春花，可是，球客要不是存心搗蛋也大可不必這麼嗅人。

趙欣猛地從椅子上站起來，哼了一聲對高黑格子說：

「花幾個錢打彈子有啥了不起，你是騙人沒打過彈子？」

「怎麼樣？老子不是跟你講話，你多個什麼✕嘴！」

「你這黑鬼，一百年不刷口，我就討厭這些臭話。」

「哦？你是存心跟老子過不去？」

「問你！」

「趙欣，別同他一般見識！」周春花急忙的制止趙欣的衝動：「你回學校去，這裡沒事的！」

「你媽的，臭錶子，你捨不得小白臉，老子……」

高黑漢子口裡的老子還沒全出口，趙欣猛地執起球桿、用力的擊打下去。

「你打人，你敢打老子！」高黑漢子也把手中的球桿向趙欣身上飛去；一場全武行就這樣的鬧開來了！

一時間，彈子房整個騷動起來，球客們東奔西跑，最後終於驚動了臨近的管區派出所，五六個警察衝進彈子房。

趙欣被帶到派出所去，同那個球客高黑個子吳大鵬，兩個人在那裡做了筆錄始被保了出來。

這件事，很快的就驚動了學校訓導處，訓三組那位專門管課外活動的張組長，在第二天中午休息的時候，把趙欣喚了去。

張組長很生氣的，這位工讀出身的青年才俊，他最痛恨一天到晚到處遊蕩，無所事事的學生；每當他碰到這種事，就禁不住的想起過去他在大後方忍著飢餓苦讀書的種種來。

他把趙欣喚來很生氣的先訓了他一頓。

趙欣滿腹委屈地，反駁辯道：

「是他先開口找麻煩的！」

「你理他幹什麼？」他盯著趙欣，接著又說道：「同學都說，你整天泡在彈子房，不好好讀書，你們這些在福中不知福的傢伙，你讀大學為的是什麼？」

「我打彈子都不行？」

「當然行，我只是不懂，整天泡在彈子房……。」

「那是我的自由！」

「哦？自由？哼，你們的自由太多了。」

「難道不行？讀大學連打打彈子也不可以嗎？」

「不可以，」張組長把臉拉了下來：「從今天起，你不准再到那家彈子房去。」

「我偏要去！」

「哦？你一定要去？」

「嗯，學校沒有權力禁止我們休閒活動！」

「我就有這個權力，不信，你試試！」張組長賭氣的對趙欣說道：「假如你再被我捉到在那家彈子房打彈子，你看看好了，你就給我滾！」

離開訓三組，趙欣很不諒解張組長對他的處罰，他不明白，為什麼在這種自由學府裡，還有這種專制帝王似的管理學生課外活動的師長？

以前，他讀高中時，也為了在校外打彈子的事被學校記了大過，那時，讀高中，高中學生校規有明文規定是不准涉足彈子房的。

可是，大學校裏，那一個大學生被禁止過打彈子？為什麼張組長就要跟我過不去？

難道他知道我同周春花的事故意為難我的？

對了，一定是這樣的，這些所謂受過高等教育的人，他們的腦袋裡，都根深蒂固著門第之見，他一定認為我不能同彈子房的計分員談戀愛，否則，就會破壞他們的校譽。校譽！哼，校譽，哈哈哈，我談戀愛干他們什麼事，一定要這樣的限制我，我偏不信邪，我一定要以行動來反抗這無理的限制，看他能對我怎麼樣！

趙欣一個人站在大操場的中央，抬頭仰望著天空，這時，剛好有一隻落群的鴿子從他頭上掠過，一絲孤獨的感覺禁不住的油然生起。

回到宿舍，才推開門，就發覺李旺他們正聚集在一起不知道在談論什麼？

沈宗裕首先看到趙欣回來，他很快的臉露笑容的迎了過去。

「趙欣，張組長沒說什麼吧？」

「哼，」趙欣哼了一聲，走回到自己的床鋪，爬了上去，仰躺的倒了下去，兩眼直瞪著雪白的天花板。

「怎麼回事？趙欣？」李旺趕了過來；所有的人都不約而同的包圍在趙欣的床鋪左右。

「趙欣，張組長對你怎麼說？是不是要記你大過？」陳太原關切的問道。

「趙欣，到底怎麼回事？你怎不說話呢？」徐文中把趙欣從床舖上拖了起來：「告訴我們，到底怎麼回事？」

趙欣坐起來，看了看大家，久久，才回答：

「沒怎麼樣！」

「哦！真的？」

「當然真的，他能怎麼樣？他能對我怎麼樣？」趙欣忍不住的滿臉憤恨。

「別騙我們，趙欣，快告訴我們，他怎麼說，張組長是出了名的活閻王！」

「我說沒麼樣就沒怎麼樣！」

「開除？」

「他敢！」趙欣握緊拳頭。

徐文中看出事態的嚴重，好言好語的勸慰趙欣，要他冷靜，把張組長的處置詳細的告訴大家，好讓他們幫他想個周詳的辦法對付。

幾經眾人的勸慰，趙欣才把張組長對他下的禁令告訴了大家。

「那還不簡單，張組長說不要去，你就別去好了！」沈宗裕第一個附合張組長的訓令說道。

「我為什麼不能去？」趙欣反問沈宗裕。

「宗裕，你忘了趙欣不能不去！」

「啊！對了，對不起，趙欣，我差點忘了，你的春花姑娘，但，怎麼辦呢？張組長一向是說話算話的！」

「趙欣你還是暫時別去的好，」李旺替他出主意：「好漢不吃眼前虧你去如果真被張組長捉到，那最少也得記大過，我們都快畢業了，忍耐點就過去……」

「李旺，假如是你，你被限制與人不同，像過去在中國人的土地上的公園或餐館，門口高掛著一張告示，限制中國人進入，你是中國人，你看了會怎樣？」

「…………。」

「我為什麼不能去？大家都能去的地方，我為什麼要被限制？我偏要去，看他能對我怎麼樣！」

「可是，趙欣，」李旺擔憂的說：「我總感到不妥，好像有什麼不祥的預兆！」

「我才不怕，我要以行動來抗議，別人怕他，我偏不信這個邪，我要平等，要自由，我要向他宣戰！」

果然，趙欣不聽眾位同學的勸告，繼續前往彈子房，他希望有一天在這裡碰到張組長，看他能對他怎麼樣。

李旺為此事，特地跑去彈子房找到周春花，他希望周春花能幫趙欣的忙，阻止趙欣去對抗張組長。

這天下午，李旺同徐文中約好，他們吩咐沈宗裕把趙欣留住，好讓他們兩人有一段較長的時間去同周春花商談，以便挽救趙欣。

「周小姐，我叫李旺，他是徐文中，」到彈子房，李旺向周春花自我介紹：「我們都是趙欣的同學。」

「周小姐，」徐文中接著說：「不知道你有沒有空，我們想同你談談，為趙欣的事！」

「哦！」周春花閃動大眼睛，不明白的望望他們。「可以，什麼時候！」

「現在，我們到對面的冰果店等妳。」

「好的，我去向老闆打個招呼。」

李旺、徐文中剛喝過一口果汁，周春花就踏進了冰果店的門口。他們兩個一看到周春花來，不約而同的站起來同她招手。

周春花也要過一份果汁，三個人開始談論起趙欣的事情來了。

首先是徐文中開口，他告訴周春花，趙欣因在彈子房同人吵架，被訓三組長找了去。

「學校有沒有處罰他？」

「趙欣沒告訴妳？」

「沒有啊，這兩天他來看我，都只一味的呆坐在那裡一句話也不想說。」

「喔喔！」李旺點點頭：「事情弄糟了，我們以為他同妳提過！」

「沒有，怎麼糟法？」

「張組長不准他去彈子房。」

「哦？那他怎麼反而天天來？」

「就是這樣，我們才找妳商量！」

「你們快說，到底要我怎麼樣。」

「張組長沒記他的過，照道理學生在外頭跟人家打架，學校方面一定會處罰他的，但，張組長沒這麼做，對趙欣來說，應該是很優厚的；張組長只不准趙欣去打彈子，其實都是為他著想；可是，趙欣的人妳是知道的，他誤會了張組長的意思，他以為張組長是故意在跟他做對，讓他有不平等不自由的待遇！」

「趙欣怎麼這樣不懂事！」周春花焦急的說。

「我們曾一再的勸他，可是，趙欣的牛脾氣妳是知道的，他不但不聽勸，相反地，說什麼要跟張組長宣戰！」

「唉呀！怎麼這樣孩子氣呢？」

「所以，我們來找妳，希望妳能勸勸他，為了他的前途打算，何不忍耐些呢？再過不多久就畢業了，學校再也管不了我們了，不要在這畢業前夕鬧出事來，誤了自己的前途。」

「好，我一定力勸他。」

「謝謝妳，周小姐，趙欣的事就請妳全力幫忙。」

「這是義不容辭的，你們放心，全包在我的身上。」周春花很有自信的向他們兩人保證。

晚上，趙欣又來了，一樣呆坐在計分檯的左側，並不想參加打球。

「趙欣，打一桿嗎？」周春花看到他呆坐在那兒，故意小聲的問他。

「不，這兩天情緒不好，沒心思打彈子。」

「哦？」周春花本來想反駁他，沒心思打彈子，為什麼到彈子房來。但剛要把話說出口，又覺得不對，很快的煞住了舌頭，「那麼，是來看我？」

「可以說是。」

「也可以說不是？」

「妳真聰明。」

「趙欣，晚上你有空？」

「有。」

「打烊後我在你宿舍門口等你，你先回去休息好嗎？」

「這…………」

「有什麼不方便？」周春花大眼睛朝他轉了兩轉。

「好的，我十二點在宿舍門口等妳。」

「十二點半。」

「好，就十二點半。」

趙欣走後，周春花如獲重釋的鬆了一口氣。

打烊後，趙欣和周春花兩人在宿舍門口碰過面，逕自走向他們以前經常約會的那座杜鵑花公園去了。

「趙欣，今天下午，我看到李旺和徐文中。」

「哦？在那裡看到他們？你怎麼認識他們？」

「在我們對面那家冰果店，是他們約我見面的。」

「他們怎麼說？」

「你一定知道了！」

「他們要妳勸我？」

「嗯，你以為他們干涉你？」

「我不要他們來勸我，我自己會處理我自己的事！」

「趙欣，你最近怎麼回事，人家李旺、徐文中是為你好。」

「哼，為我好？」

「不是嗎？他們怕你同那個張組長鬧翻了！」

「我就是準備同他鬧翻的，看他能拿我怎麼樣！」

「趙欣，這又何必呢！」

「這事，妳不要管！」

「哦？你的事我不要管？」

「對不起，春花，別的事我可以聽妳的，只有這件事妳讓我自己去做。」

「不行，你不能一意孤行，你要聽聽大家的勸告！」

「勸告，勸我去投降？去向無理豎白旗？」趙欣停了一下：「我做不到。」他說：「別人都能去彈子房，我就不能去？只因為我認識妳，而妳是計分員，他們就，他們就………」

周春花心裡明白，趙欣要說什麼，他是怕自己聽了心裡痛苦，所以，故意把話按住。早在認識之前，她就怕這事情會發生，如今，果然發生了。

一個彈子房的計分員，一個大學校的大學生，好像被前生註定不能在一起談戀愛，像過去的地主同佃農，他們的第二代，不管他們彼此如何的相愛著，但，沒有土地的貧困青年怎配得上富家女？一個只讀幾年書的娛樂場的計分員，她怎可以嫁個大學生？這深深的門第之見，終於要把他們的愛情拆散了。

趙欣是專心在愛她的，她知道，他之反抗張組長對他的限制，就是最有力的證明，他不要別人來干涉他，來支配他的戀情。

他要愛他所愛，不要別人來干涉，他要像日常生活中做任何一種事那樣，他想到要做就去做，不需要別人的勸告和阻擋。

可是，他這樣做，這樣做是否值得？他從不去管這些，這些事，他也不要別人來管，不管是朋友，是師長，是父母。

「趙欣，我真感激你，你對我這樣好，可是，你要想一想，李旺的話是對的，他認為好漢不吃眼前虧，假如你不幸因此觸怒了張組長，被學校開除，那值得嗎？」

「值得，我照我心裡想的去做，即使是死！」

「趙欣，你不能這樣魯莽，你要三思而行。」

「哼，三思，我九思都思想過了，我絕不會改變我所要做的，尤其對妳，有關妳的事！」

「趙欣！」周春花激動的擁住趙欣，把臉埋在趙欣的懷裡，眼眶裡，禁不住的濕潤了起來。

打從離開家門，出外謀生，她從來沒被人這樣的關心過，幾乎所有的人，只在欺騙，在心懷不軌的詐取她的美色。

那些男人，無聊的男人，每當她走到一個地方，想好下來稍為喘息，在她被生活追逐得累了，綣了，她想停下來喘口氣時，然而，那些無聊的男人就又出現了！

為什麼每個地方都有這種男人呢？女人難道是男人的玩物嗎？她們一樣是勞力謀取生活的，然而，她們工作之外還要應付男人！

這是一種落後的悲哀？一種現代文明的悲哀？以前的女人多好，古代的女人，奶奶時代的女子多好，她們一生大門不出的，只要侍候一個男人，她心愛的男人，照顧她的家，屬於她自己的家，就可以優閒的過一生，絕不要拋頭露面，更無所謂被人蹂躪的悲哀。

可是，現在男女是平等了，天天有人把這種口號掛在嘴上，高聲的吶喚著，所以，女人擁有了同男人一樣工作的權利，走出了廚房，女人走出了家，走進了男人猙獰的世界！

無論那一行的工作，有女人工作的地方，就存在著心懷不軌，色迷迷的男人。妳的顧主、妳的上司、妳的同事，不論誰都好，只要是男人的，他們隨時都準備著欺負妳，他們是無需武裝的，他們隨時都帶著刀槍，什麼時候妳稍微不留心，就向妳衝了上來！

他們向妳歡笑，那是假的，他們不過要取得妳第一步的信任，要妳解除一部份的武裝；然後說，照顧妳啦！幫忙妳啦！再進一步，就向妳索取代價，不管妳同意不同意，文功武功一併用上，唯一的目的，就想把你打倒！

尤其幹她們這一行的。那些連國法也不放在腦海裡的惡霸劣民，一個初出家門的純潔得有如一張白紙的少女，她們怎麼能夠不被擊倒呢？

等到有一天，他們對妳厭倦了，他們就編造一則不要來自圓其說了，簡直荒謬得連三歲小孩子也不會相信的故事，把妳一腳踢開，讓妳一個人去揹負那生活、感情、和禮教的沉重的十字架。

這就是男女平等！是落後的悲哀呢？抑或文明的悲劇？

只有趙欣，真心誠意的在愛她，要為她犧牲一切，包括學業在內。

無論男女，一生裡頭，只要有一個異性真正愛過他，他就應該感到驕傲，感到滿足。此時的周春花，就正處於這種情況下；因此，她高興得擁住趙欣，讓那興奮的眼淚泉湧出了她那美麗的眼角。

可是，這種興奮，並未沖昏周春花的理智，今天她約趙欣出來的目的，是應李旺和徐文中的要求，來遊說趙欣的，換一句話說，她是負有使命，是負有很重要任務的。她不能自私的只為了自己著想，而忘記了她所愛、所感激的人正面臨著被學校開除的危機。她不能像過去她那個醜惡的表妹，因為自己淪落在酒家，而自私的拖住她那個小男朋友連大學也不讓他去應考。

她猛地抬起頭來，仰望著夜空的星斗，那永恆的星座，她在心底膜拜著，祈求著月亮娘娘給她勇氣，為趙欣做一件有益他一生的事。

她知道，此時在言語方面的勸阻已不發生作用，她深深地瞭解趙欣的為人，她必須以行動來勸告他。

「我們回去了！」周春花說：「明天，我一早還要上班的。」

「好，我也要回去看點書，就要畢業了，以前三年多，就沒有好好看過書。」

「以前，為什麼不看，現在卻反而要看？」

「因為，以前，心情一直無法平靜！」

「現在，平靜了？」

「嗯。」

「為什麼？」

「為什麼？」趙欣笑笑的痴望著周春花：「因為，我擁有妳，妳使我平靜、上進、體會到多讀書的益處。」

「是的，多讀書是很重要的！」周春花似有感而發，喃喃自語著。

「春花，我並不是諷刺妳。」趙欣以為周春花誤會了他的意思，怕她以為是在嘲諷她沒讀大學。

「趙欣，我是這樣的人嗎？」

「我知道妳不是的。」

「那就好了，」周春花輕輕的嘆了一口氣：「因為，我不能多讀書，所以，我知道能讀書有多寶貴，所以，我希望你能利用時間多讀，把我沒法讀到和讀懂的一併給讀了。這樣，以後你也可以教我呀！」

「好的，以後，我一定利用時間教你讀書。」

「那我們就回去了。」

「走，我送妳回居所。」

兩個人默默地離開了杜鵑花公園，經過小路，回到了周春花的住處。

「趙欣，答應我，以後你要好好用功！」臨別的時候，周春花又再次的向趙欣提出了這個要求。

「怎麼回事？春花，我不是答應妳了嗎？」

「我不要你發誓，但，我要你牢牢的記在心頭。」

「我會的，妳進去休息吧！」

「那我就放心了！」周春花一個出其不意，在趙欣的臉頰上吻了一下；然後，轉身朝屋裡跑：「再見，趙欣！」

「再見，明天見！」趙欣痴痴的望著周春花的背影消失在黑暗裡。

怎麼會有再見的明天呢？周春花躺在床鋪上，兩顆大大的眼睛凝望著雪白的天花板。明天？她心裡想，趙欣明天還會到彈子房來找她，他一定會來的，他要反抗張組長，他要向所有的人宣戰，向傳統向門當戶對的傳統宣戰；他是一個勇敢，一個敢愛敢做的男子漢。

周春花決定斬斷趙欣「再見明天」的希望，這件事，無論對趙欣，對她自己，都是非常殘酷的事，不是有相當果斷的人是做不出手的，因為，沒人願意放棄自己已穩握在手的幸福。

可是，為趙欣前途著想，唯有這個方法可以救得了他，只有離開彈子房，離開趙欣，離得遠遠地，趙欣才會死了這條心，才不會頑強的反抗學校。

「對！」周春花從床上猛地坐了起來，「離開他，暫時的離開他，等他畢業了，一切的限制都消除了，再回來找他！」

周春花到底是真正懂得愛的女子，一個經歷風霜的奇女子；她想到唯有逃離得遠遠的，才能救趙欣，她的腦海裡，馬上就下了這個決定，等她下定決心，立刻從床上躍跳下來，打開抽屜，拿出紙和筆，準備給趙欣寫一封信。

可是，信紙的右上端只寫下「趙欣」兩個字，以下就一直讓它空白著，不知該寫些什麼是好？

應該怎麼寫才得體？才能婉轉？才能使趙欣不因她的突然離去而生氣，而賭氣，不再用心在書本上！

周春花雖然沒機會接受高等教育，但她天性聰穎，能說善道；可是，今天筆一提起來，卻不知要對趙欣說些什麼是好？

初初認識，對周春花來說，她是比趙欣更能駕馭對方的，因為，雖然她的年紀並沒有比趙欣大，可是，她在萬花筒似的社會混的時日比趙欣多，到底趙欣還只是一個學生罷了。

因此，剛認識的那段日子，趙欣幾乎什麼都聽周春花的；而周春花也不是沒有良知的女子，雖然她處身在半下流社會久矣，但，她力爭上游，並不想一生一世永遠沉淪在那裡。

所以，她捉住趙欣，牢牢的握住他，希望他能拉她一把，把她從四面充滿著罪惡的地土解救了出來。

趙欣果然沒使她失望，從這次張組長的事件可以證實出來。周春花的用心是沒白費的，一道充滿著興奮的曙光已從地平線上升了起來。

然而，有誰會想到，半路卻殺出了那個可惡的球客高大鵬，那個吃人吃鐵的流氓；唉，假如那天趙欣不來彈子房就不會有今天的悲劇了。

一切都已成過去，再去追憶只徒增悲痛，周春花在信紙上用力的寫下了「我要離開你！」五個大字，沒說什麼原由，就這樣的簽了名把信紙裝入信封，上了漿糊，準備明天一早告別老闆離去時託由店裡的同事轉交給趙欣。

一夜都無法入睡，周春花兩隻眼睛睜得大大的，就這樣一直到天亮。

趙欣很高興，周春花完全向著他，連這次他反抗學校的事她也同他採取同一路線。李旺和徐文中真多心，好管閒事，自以為聰明，周春花怎麼會聽他們的呢？

回到宿舍之後，趙欣扭亮了桌燈，打開書本，滿頁書無處不在跳躍著周春花活潑的倩影。

趙欣合上書本，心裡想，應該寫封信給她，告訴她他趙欣不再寂寞了，因為，他已擁有一個同心的知己。

他還想對她說，以後他們的計劃，開彈子房做生意的計劃，還有，告訴她，他們結了婚的家庭生活的計劃，甚至於生養幾個子女的計劃。……

很多很多美麗的計劃趙欣都想告訴她，尤其是結了婚之後教她讀書的事，他更是用心的計劃著，他要把他自己所學所懂的，從學校裡得來的，只要周春花有興趣，他會全部的，傾囊的傳授給她。

想著、想著，趙欣不自禁的微笑起來，坐他對面看書的沈宗裕，剛巧看完一段書後抬起頭來，發覺趙欣這突發的微笑，禁不住的吟了一句詩：

「書中自有黃金外，書中自有顏如玉！」沈宗裕說著：「趙欣，今晚特別興奮。」

「當然。」趙欣回答：「從公園回來，現在正回憶剛才那段經過！」趙欣故意把神秘色彩加濃。

「哦！好像有點苗頭？」

「哼，苗頭不只有點，很大！」

「真有辦法，趙欣，你真有辦法，你不僅在女孩子面前有辦法，就是人見人怕的閻羅王張組長也不敢對你怎麼樣！」

「哼，他敢，我才不怕他哩！」

「宗裕，你在說什麼？」李旺不高興的訓責了沈宗裕，他認為沈宗裕的話是在趙欣的火頭上撥油。

「喔！沒說什麼，沒什麼，李旺，我只同趙欣閒扯。」

「閒扯也應該要有分寸。」李旺還是不高興。

「宗裕也是讀法律的，說話應該特別小心才是。」徐文中也在一旁插嘴。

「李旺，宗裕沒說錯話呀，你們兩位怎麼組成聯合陣線來攻擊他？」趙欣停了一下：

「謝謝你們兩位仁兄，謝謝你們的關心，春花都同我說了。」

「那真好，相信你會有理智的處置這件事。」

「我當然很理智，你們兩位放心。」

「周小姐很有見識的！」

「文中，你看，春花不賴吧？比我們班上的七姊妹？」

「不賴，不賴，趙欣有眼光。」

「我們結婚，你可要來參加婚禮啊！」

「當然來喝你們的喜酒。」

「好，一言為定。」

「絕不食言，趙欣你放心好了。」

第二天，中午休息的時候，趙欣匆匆的吃過午飯，逕自前往彈子房找周春花。

可是，奇怪，卻不見周春花?這樣忙的時候，她會跑到那裡去?

趙欣在周春花計分桌旁的椅子上坐了下來，他想，也許她剛巧去洗手間，因為，這球檯的計分員是由客人臨時充當的。

然而，等了約有一刻鐘，就是不見周春花，他開始坐立不安了，一顆頭左顧右看的，想在人群中把周春花發掘出來。

終於，球客逐漸的稀少了，每當兩點過後，上班的上班，上課的上課去了，彈子房又恢復了平靜。

這時，平常跟周春花比較要好的那個第四檯計分小姐向趙欣走了過來。

「趙先生，你找春花姐?」

「是的、小玉，妳沒看見她?」

「她今天沒來上班。」

「哦!她生病了?」

「不是。」

「她有事?請假?昨晚分手時她怎麼沒對我說?」

「是的，她有事，她不來上班了。」

「什麼，妳說什麼？」趙欣一怔，激動的追問。

「春花姐今天一早就走了，她說她不要上班了，臨走的時候，要我轉給你一封信，」小玉沒把話說完。

「信在那裡？」趙欣就岔斷小玉的話：「趕快拿給我，我要知道她為什麼走！」

「在這裡。」小玉把周春花寫給趙欣的信雙手奉上。

趙欣伸手搶過那封信，果然是周春花的筆跡。

他匆忙的把信封打開，但見信紙上短短的寫著五個大字：「我要離開你！」其中，「你」字像是被淚水沾濕了，有些兒模糊。

「我要離開你！」趙欣喃喃的唸著：「我要離開你！」突地，趙欣調轉過身子，拔腿往外就跑。

一口氣跑到周春花以前的居處，打開房門一看，果然人去室空，只留一地相思紅豆！

「我要離開你！」趙欣又喃喃的唸著周春花信上寫的那句話，一次反覆一次的唸著，失神的怔住在那空宅裡，良久良久，他突地放聲大嚷：「妳為什麼要離開我？為什麼！為什麼？」

他思想起昨夜，昨夜並沒什麼異動，說什麼他都不相信她會離開他，因為，她曾經同他提起李旺和徐文中來找她，要她勸阻自己不要同張組長過不去的事；而他們已經對這件事取得了諒解，說什麼她都不應該這樣不告而別的，因為，昨夜他送她回來時到她離去，相去不過五、六個小時，在這短短五、六小時之間，變化怎麼會這麼大？她竟在這樣短暫的時間裡，做了可以影響兩個人一生幸福的決定——不告而別！

我要離開你；妳為什麼要離開我？

※　　※　　※

趙欣，落寞的離開了那間空室，一個人低著頭踽踽的踱回宿舍，連下午第七節那堂系主任的課也不去上了。

返回宿舍，趙欣蒙頭便睡，雖然晚飯的時間到了，他還不感覺到應該到飯廳去。

他只是胡思亂想著，他就是想不透周春花為什麼會突然不告而別，昨天晚上，在杜鵑花公園不是談得好好的嗎，為什麼今天突然的走了！

想著想著，一絲靈感徒地掠過心頭，他猛地從床上坐起來，大聲的嚷著。

「我要去找她！」

「找誰？」房門開處，傳來了徐文中的問聲：「你要去找誰？趙欣，大家等你吃飯！」

「…………」

「趙欣，發生了什麼事？」

趙欣仍然木痴的沒去回答徐文中的問話。

徐文中發覺情形不對，正準備返身跑回飯廳去把李旺他們一起找來時，李旺、沈宗裕他們四個人已先後回到宿舍來了。

「怎麼啦！文中。」李旺第一個開口問。

「你看趙欣！」

「趙欣，你怎麼沒去吃飯。」

「…………」

「趙欣！趙欣！」

「你不要管我！」趙欣突然大聲的吼道：「你們不要管我的事；不要管；不要管；」

「…………」

徐文中、李旺被趙欣這麼一嚷，大家面面相覷的不知道如何是好！

四

徐文中非常不諒解趙欣的自甘墮落；為了一個女子，雖然說，這個女子是他所愛的人，但，男子漢大丈，怎麼能一天到晚為一個無情的女子而以淚洗面呢？

她不是無情，她是為了挽救趙欣，她才離開他的；她既然不是因絕情而遠離他，是為了他的前途，為了他的學業著想，才狠起心來離開他。他應該更加的勤奮，加倍的振作才對；為什麼趙欣他竟沮喪得像一個被醫生，宣判死刑的人！

以前，徐文中就不太諒解趙欣了，整日只往彈子房跑，大學四年級的人了，是應該把握它人生最後的學生時代專心用功，但，趙欣從不把心放在書本上，在他的腦海裡，就只有彈子，只有女人，只有他的大眼睛春花！

他幾乎比周春花還不懂事，雖然，徐文中只見過幾次，只同她談過一次話；但，他認為，周春花比趙欣成熟，那個只讀幾年書的計分小姐比趙欣更懂事。

一個男人盡其所能去保護他的女人，這雖然是天經地義的事，可是，一個男人喪失其理智，痴迷一個女人，且不管自己的行為是否妥當，拼死命去迷戀一個女人，最後弄得身敗名裂，這就令人惋惜，叫人痛恨的了。

其實，趙欣可以暫時不去彈子房看周春花的，如他們真正相愛，假如她真的愛自己，難道一天不去陪她，她就飛跑了嗎？一定要像逐臭蒼蠅那樣的，緊緊跟在背後？

說什麼這是他的自由，是神聖不可侵犯的自由，不惜以雞蛋去碰石頭。好在，周春花尚懂事，及時的遠離他，總算挽救了趙欣被開除了命運。可是，趙欣他竟一天到晚哭喪著臉，飯也不吃，茶也不飲！

徐文中深深的歎了一口氣，心裡在說，趙欣他真有福氣，不要用腦筋，用勞力去換取生活費用，整日可以為他的情啊！愛啊！在那裡悲傷，煩惱。

今天晚上上班的時候，徐文中發覺辦公室多了一位長得很漂亮，有一頭長髮的美麗的小姐，她的座位剛好就在他的左邊。

下班的時候，她很大方的自我介紹說：

「我叫吳秀美，以後請徐先生多多指教！」她笑笑的望著徐文中。

「敝姓徐，雙人徐，叫文中！」徐文中每一次碰到陌生女子在做介紹時，常臉紅，說話支吾。

「我早知道你的名字了！」

「呃……………」徐文中一怔，回頭一想，大概是主任，或者其他同事告訴她的。

「在我沒到公司之前，我就常聽到你的大名，可以說如雷貫耳。」

「哦？妳在那裡聽到小名？」

「大作家誰不曉得——」她故意神秘的把話頓住。

「不敢當，不敢當，我算是那門子大作家，我不相信妳會把報上鉛印了幾次的小名和我連貫起來！」

「我當然不是啦！」吳秀美噘起上唇，顯得更討人喜愛的：「我知道你的秘密！」

「哦？」這下，徐文中更吃驚了：「我的秘密？」

「嗯，難道你不相信？」

「我有什麼秘密？嘿。」

「你不讓人家知道的大秘密！」

「我不讓人家知道的？」徐文中愈是吃驚，但愈是想不出他到底有什麼不可告人的秘密！

「難道要我說出來？」

「我沒有秘密的，吳小姐，也許你弄錯了。」

「我不會弄錯的，你不承認你是大作家？」

「我承認我寫過文章，在報上發表過文章，但我不是大作家，不是妳心裡想的那種大作家，我不過為了騙取小額稿費，假如我是大作家的話，我就不必白天趕完功課，晚上文到這兒來上班。」

「你是在換取生活體驗！」

「嗤！好一句換取生活體驗！就算是換取生活體驗吧！但我有什麼大秘密落在妳的手裡呢？」

「你承認你是大作家徐文中先生就對了，我有你不願人知的大秘密！」

「我不信。」

「你會信的！」吳秀美很堅定的說：「假如我說出來，你就不會再強辯了！」

「好啊，妳說說看！」

「一定要我說出來？」吳秀美反問徐文中一句。

「嗯，說出來才能算數。」

「好，我說！」吳秀美被徐文中逼得沒路走，準備把她知道的徐文中大秘密詳述出來。

「你說，請——」徐有中若無其事的等著。

「你真的要我說出來？」

「我不做虧心事，難道還怕人家敲詐嗎？」

「你是想到那裡去，我不是說你做了壞事！」

「那有什麼秘密可言？」

「好事也有不讓人知的呀，不讓別人知道的事，就是秘密！」

「我照顧自己生活求學都來不及了，還有什麼能力日行一善呢？」

「你又是想到那裡去！」吳秀美看徐文中那付老僧入定樣，氣得直跺腳。「你真的不承認？」

「我徐文中雖然人窮知愚，但向來光明磊落，絕無秘密可言！」

「你——」吳秀美被徐文中這一正色否定，竟氣得哭了起來！

過了好一會兒，徐文中發覺剛才說得話太過火了，忙向吳秀美道歉：

「對不起，吳小姐，我並沒存心侮辱妳，我只是想告訴妳，我真的沒什麼秘密事，剛才言語冒昧之處，原諒我沒好好讀書，且又天生欠缺口才！」

「是我多事，不應該在第一次見面時對你說那麼多話，對不起，徐先生，再見！」

「吳小姐，妳，妳要走了！」

「是的，我要回宿舍去了！」

「妳住那兒?我送妳！」

「謝謝，我住那裡以後自然會有人告訴你的！」

吳秀美說完後，逕自提了皮包離開辦公室。

徐文中目送著吳秀美離去，心頭有股歉意；他不明白，為什麼剛才自己竟然會把持不住，一再的拿話來刺激她呢？

才第一次見面，第一次聊談，自己雖然是個堅守原則的人，然而，既然她那麼堅定的說自己有秘密在她手裡，而這秘密她又再三的聲明，並非見不得人的，為什麼竟連給她一點面子也不呢？就承認真有秘密又有什麼不妥，一個人真的沒有一點秘密嗎？說什麼光明磊落，對一個活潑美麗的少女，為什麼要板起臉孔來說話？

這是自卑感使然，徐文中心裡明白，他不敢像趙欣他們，放大膽去喜歡一個自己看得上眼的少女，甭談去愛她們了，因此，每當機會來臨時，他就會讓它輕意的錯過，還以為這是一件很了不起的行為哩！

第一次同她聊談，就刺傷了她的心；徐文中終於感到懊悔，自己為什麼這麼愚蠢，以後同事的日子方長，不知要拿什麼同人家打招呼？

可是，想到吳秀美口中說的大秘密，徐文中着實不明白，更想不透，自己到底有什麼秘密？而且會落在這位第一次見面的女同事手裡！

不是壞事的秘密！徐文中心裡想，我又做過什麼好事？雖然，平常是常有小善行為，但這些都不足以被認為是秘密事。可是，吳秀美像是言之有物，真的曉得自己做了什麼，否則，才第一次見面，她是不會這樣一口咬定的。

然而，這不是壞事，也非好事的秘密是什麼呢？不是壞事，也非好事——徐文中在腦海裡反覆的思想著，真會有好壞之間的秘密事嗎？我就不明白，好壞之間的事算是怎麼回事？並且是秘密的事！

回到宿舍，躺在床上，反覆的想著吳秀美今晚說的話，竟輾轉不能成眠。看看手錶，已經三點一刻了，就是想不透吳秀美，今晚對他所說的大秘密是什麼！

「睡不著嗎？文中。」是下舖李旺的話。

「沒有，沒什麼，我不過翻個身罷了！」他很注意，怕翻身吵醒下舖的李旺。但終於把他吵醒了。

「別騙我，一定有什麼心事。」

「真的沒有，李旺。」

「是不是又沒錢用了？」

「沒錢我會向你先貸。」

「那就好了，不要客氣。」

「以前都不客氣了，現在還會客氣嗎？」

「如果睡不著，就起來聊聊，我也睡不著覺。」

「怕會吵醒他們！」

「我們到外面走走。」

「也好。」徐文中翻身下床。李旺也從床上坐了起來。

「走！」

「走！」

他們，沿著學校門口的大馬路、漫無目的的走著。起先，誰也不想先開口，彷彿開口說話怕會打破這沉寂的美夜似的。最後，徐文中終於忍不住的先開腔了：

「我真不明白，李旺，今天我確實碰到難題！」

「我早就看出來，否則，你不會一直在床鋪上翻轉的。」

「今晚，公司新來一位女同事。」

「很漂亮是嗎？」

「當然漂亮，但這不是問題。」

「那麼，問題是什麼？」

「她姓吳，叫秀美，我們才第一次見面，我可以發誓，以前，我從來沒碰見過她。」

「她怎麼樣？」

「她令我驚訝！」

「哦？什麼事令你不安？」

「她早就認識我。」

「當然啦，你是大作家，很多這種年紀的女孩子欣賞大作家的！」

「並不是這件事。」

「哦？那還有更驚人的？」

「嗯，」徐文中點點頭：「她不僅早就認識我，同時，她還告訴我她知道我的大秘密！」

「大秘密？」李旺不解的：「什麼大秘密？她說出來沒有？」

「她本來要說，但卻被我氣得哭了！」

「哭了？」李旺更不懂！「為什麼哭？」

徐文中把他同吳秀美的談話全盤的告訴李旺，李旺聽後，責備徐文中說：

「怎麼可以對小姐說這種話，她一定對你有意思！」

「李旺，你是最瞭解我的，我們不談這個。」

「好，你的意思是要我幫你想她口中說的大秘密？」

「嗯，你想，好壞之間的秘密事到底是什麼？」

「她並沒說是好壞之間的事啊！」

「她怎麼沒說，她說過不是壞事，也不是好事。」

「不錯，不是壞事，也不是好事，但她又沒說是介乎好與壞之間的事！」

「喔！」徐文中恍然大悟，在這之前，自己一直在鑽牛角尖。

「不是壞事，也不是好事，難道會是——」

「李旺你說什麼？」

「文中，她是不是說喜事？」

「喜事？」徐文中一怔，差點沒笑出聲來：「哼，李旺，你別尋我開心，我有什麼喜事可言？」

「文中，這很難說，說不定你認為並非什麼大不了的事，但她卻認為是很重大的事！」

「不會的，我們素昧平生。」

「你不是說，她早認識徐文中？」

「是的，她也承認。」

「那就對了，」李旺笑笑的看看徐文中：「文中，你可要請客了哩！」

「要我請客？」

「當然啦，你有大喜事落在人家手裡？」

「李旺，你別開玩笑好不好，我有什麼大喜事？」

「一定是喜事不會錯，否則，她也不會在第一次談話時把它提出來。」

「嗯，」徐文中點點頭，認為李旺分析得有道理；可是，他不明白，到底喜從何處來？

「我自己並沒有感覺我有什麼喜事啊！」

「你一定在外頭偷偷交了女朋友，不讓我們知道！」

「李旺，我可以發誓，我沒有女朋友，一直到現在，我真的沒有女朋友！」

「女讀者呢？你們寫文章的，從來不把女朋友承認是女朋友，而名之為女讀者。」

「也沒有。」

「我不相信，」

「我還會騙你嗎？」

「那她難道說的大秘密也不是屬於喜事方面的?」李旺對於剛才自己的推測,開始有些動搖了。

「我也不知道:即不是好事。也不是壞事,更非喜事,那就更叫人丈二金剛摸不著腦袋了!」

「就是說嘛!這位吳小姐也真會捉弄人!」李旺停下腳步,看著徐文中說:「你喜歡那位吳小姐嗎?」

「李旺,你怎麼突然問我這個問題?」徐文中有些臉紅的。

「說良心話,你喜歡不喜歡她?」

「才見一次面,我怎麼能下斷語。」

「我說的是直覺!」

「哦,直覺?」

「不錯,你是不喜歡她?」

「她是很討人喜愛的!」

「那就對了,」李旺停了一下,又問道:「那位吳小姐?白天在做什麼?」

「我不知道,我曾經對她說,要送她回去,問她住在裡裡,她聳下肩回答我:以後自然會有人告訴我她住在那裡！」

「對！那就對了！文中，恭喜你，你被小姐偷愛自己還蒙在鼓裡！」李旺用力拍了徐文中的肩胛：「回去了，明天去向吳小姐正式道歉！」李旺很高興的對他說：「把握時機，假如你喜歡她的話！」

「…………………」

吳秀美確實有許多令人欣賞的條件，她不僅有一對烏溜溜會說話的眼睛，同時，那一付甜甜的臉蛋，給人留下深刻無法忘懷的印象。她很大方，但沒有一絲做作，也不是那種招蜂引蝶的低級趣味。她的談吐文雅，舉止高尚，想來一定出身良好人家。

徐文中是有點喜愛她，因此，他才會在第一次見面時極力的反駁她所謂的秘密。到現在為止，他尚不知，吳秀美所說的秘密到底是什麼？

向她道歉，這是應該的，就是李旺不說，他也會這樣做的，自從氣走她之後，徐文中心裡就一直歉疚難安。

第二天晚上上班的時候，徐文中有好幾次機會想向吳秀美道歉，可是，吳秀美都裝著不認識那樣的不去理會他，使得徐文中內心的愧疚又加重了幾分，自卑感驅使他差點放棄這個原先決定好了的道歉行動。

當下班還有一刻鐘時，徐文中終於鼓起勇氣，寫了一張紙條偷偷的遞給吳秀美，約她下班時在公司附近的一家冰果店見面。

下班鈴響過後，徐文中三步併成兩步的直奔約定的冰果室，選擇一處最明顯的座位等了下來，他在擔心，吳秀美會不會來？

時間在一分一秒的向前奔走，已經過了半個小時，可是卻未見吳秀美的來臨！徐文中很失望的站起身子，付了賬，低著頭沮喪的走出冰果室，心裡頭痛苦得想張口大聲的嚷叫起來！

第一次約會就碰了一鼻子灰，本來已有著深深憂鬱的徐文中，這時，激動得不能自己，以前，他不敢與異性約會，他的自卑感太重，他自己認定自己是失去與異性交往的條件的人（至少是現階段學生時代），因此，雖然一直有女讀者寫信來，可是，他都在逃避。

而今，他約了吳小姐見面，可惜，她卻一點也不給面子，像是在她心目中，毫無徐文中這個人的存在一般；這種行為，比一把利刃直刺心窩，更叫徐文中難受！

行走在夜街上，徐文中好幾次仰天大呼，對自己的貧困身世，禁不住的怨天尤人起來！

想到遠在南部的家，母親和年幼的妹妹，以及那一間破舊的小木屋，徐文中的眼眶濕潤起來了，他在心裡激動的嚷叫著：我不能交女朋友！我不能有女朋友！

父親在他十五歲那年夏天就去世了，死時正當有為的壯年，父親的死，給他們這個家帶來了空前未有的大災禍，父親在時，他出賣勞力養活這個家，雖然沒有富裕人家的享受，但卻也安貧樂道，一家四口尚無斷炊之虞。父親的猝然去世，有如青天一記霹靂，一時間把這個家壓得幾乎倒塌了下去。

好在賢能的母親節哀順變，一身承擔起這個家的大責重任，她日夜的工作，以換取更多的財物，養活他們兄妹，並繼續的支持徐文中完成學業。

好幾次徐文中在沒錢註冊的情況下準備放棄學業，分擔母親的辛勞，但最後都被有著堅毅不拔的偉大精神的母親給否決了，而這層困難也再次的往後推移！

如今，他終於接受了大學教育，眼看著就要畢業，就要出來做事。徐文中每次想到畢業後做事的情景，就禁不住興奮起來，他曾私底下對自己說，我一定要好好的報答母親的大恩，並且幫助幼妹完成學業。

是的，徐文中在心裡說著：我不能有女朋友，我不能分心，在學業還沒完成之前，我不應該接受異性朋友的愛，否則，我就對不起母親，對不起去世的父親。

吳秀美沒來赴約，正好讓他斬斷這個念頭，徐文中釋然的笑了，她沒來，沒來最好，否則，往後的發展，不知將給我帶來多少的困擾！

一番自我慰藉之後，徐文中快步的走向公共汽車店，準備回到學校宿舍，當他走過中山堂，突然，有人在背後喚他：

「徐先生，徐先生！」

「哦？」徐文中停止前進的腳步，撇過頭一看，嚇然是剛才沒去赴約的吳秀美。

「徐先生！」吳秀美向前走來：「我想了又想，還是來同你見面比較妥當，因為，我認為你一定有什麼重要的事同我商量！」

「是的。」徐文中有些茫然的感覺：「我向妳道歉，為昨晚的事向妳致歉！」

「昨晚的事？喔喔！」吳秀美聳下肩頭：「昨晚沒什麼需要道歉的事呀！」

「昨天我很衝動，其實，我真的沒什麼秘密事的。」

「徐先生，有一個人假如我說出她的名字來，你或許就不會再堅持了吧！」

「什麼人？」

「我的表姊！」

「妳的表姊？她在那裡？」

了！

「我們同在家專讀書！」

「家專？」徐文中更莫名其妙了！他從來沒有家專的記憶，更甭談認識家專的學生

「是的，她姓潘，你們認識很久了！」

「姓潘？」徐文中更不明白了，一時間像丈二金剛，摸不著腦袋。「吳小姐，我真的不認識令表姊，潘小姐生得怎麼樣，我——」

「她長得很漂亮，是我們班上之花！」

「對不起，吳小姐，妳一定弄錯了，我不認識潘小姐，我到現在還沒有女朋友！」

徐文中堅定的說著。

「你——」這下，反使吳秀美吃了一驚。

「吳小姐，也許令表姊認識的是另一位徐先生吧！」

「不會的，難道……難道。」吳秀美看著徐文中：「徐先生，難道貴校有人與你同名同姓？」

「這個！」徐文中搖搖頭：「還沒聽說過！」

「這就怪了，我明明看到過你寫給我表姊的信！」

「我寫過信給潘小姐？」

「嗯，我說的是真話，我表姊那裡還剪貼有你發表過的所有的作品！」

「我的文章？她有我的作品的剪報？」

「是的，你不是在聯合報副刊寫過『春之旅』；在人間副刊寫過『最後一夜』；在華副發表過『可愛的家園』？」

「不錯，這些小品文是我寫的！」

「那就對了！」吳秀美笑笑的朝著徐文中看著，把徐文中看得低下了頭：「徐先生，你認識我表姊是三生有幸，又不是見不得人的事，你怎麼不敢承認？」

「吳小姐，我可以發誓，我真的不認識潘小姐！」

「真的？」吳秀美疑信參半的。

「我不會扯謊，不會騙人，何況，我們天天要見面，我能騙妳一時，難道能瞞得長久嗎？」

「那就奇怪了！」吳秀美還是不相信徐文中的話：「會有這樣奇怪的事嗎？徐先生，照道理來講，我不應該不相信你的話，可是，那些信和剪報，是我親眼目睹的，而我表姊，也曾經對我說過你們常在一起見面！」

「吳小姐，我想這其中一定有不太簡單的問題在裡頭，有一件事，不知妳肯不肯幫我忙？」

「怎麼幫法？」

「我想見見妳的表姊！」徐文中說：「等到我和潘小姐見了面，相信妳就會相信我的話了！」

「對！這樣也好，」吳秀美忽有所悟的：「我還想補充一點」

「補充什麼？」

「要我表姊同時約那位徐先生一道來！」

「這再好不過了，我也可以趁此機會認識一下另一位同名同姓文友。」

「一言為定！」吳秀美很興奮的對徐文中說：「徐先生，你看什麼時候比較方便？」

「那要看妳表姊了！」

「好，這樣好，時間由我和她來決定！」

「全權委託妳了！」

吳秀美愉快的微笑，心裡好像有了什麼喜悅，人也變得更光采煥發。可是，突地，她又輕鎖眉頭：

「徐先生，你真的不是我表姊認識的那位朋友？」

「嘿！講了這麼多話，妳還不肯相信我？」

誰說不肯相信你呢？吳秀美在心裡嚷著：人家不過想再多聽一次你親口的否認嘛！不認識表姊，他真的不認識我表姊，啊，多麼叫人興奮的事！吳秀美差點引吭高歌起來，當她辭別徐文中走向停車亭的時候，她禁不住的手舞足蹈起來了！

徐文中是不會欺騙她的，從他的談話中，她也可以感覺得出，八成表姊認識的那個「徐文中」，是另外一個人；可是，真會有這麼巧嗎？同在一個學校，同樣是愛寫文章的，而他們也都同時在報紙副刊寫過那些同題目的小品文？

這就怪了，吳秀美聳下肩頭，不對，她想，這其中必定有一個人是冒牌的，而那個冒牌頂替的，百分之九十是常常同表姊見面談論寫作，談論文學的那個徐文中。

這真是天大的秘密，竟然被自己無意中發現。哼，表姊還跩個什麼？記得有一次，幾個同學聚在一起談寫作，邱莉忽然提起寫得一手好散文的徐文中，表姊把臉一沉，冷冷的笑笑，離開了我們。她走之後，邱莉才悄悄的告訴大家，徐文中就是表姊的男朋友，我們大家方始恍然大悟，剛才她為什麼一聽說邱莉提起徐文中，她會有那種不可一世的表情。假使今天我把這個真假徐文中揭穿開來，不知表姊會有什麼反應？

可是，如果表姊認識的那個徐文中真是冒牌假貨，表姊不知會有多尷尬？多痛心？真為表姊叫屈，雖然平時她確實有些驕傲看不起人，但她的確有她值得驕傲的地方。她美麗、聰明、又很能幹；不知那個缺德鬼竟無聊的跟她開上這樣的大玩笑！

回到宿舍，本想馬上去看表姊的吳秀美，當她走到前往表姊住處的那個巷子頭，突然停止了前進的腳步。

告訴表姊，這是遲早要告訴她的，關於徐文中的真假，表姊也是遲早會曉得的，可是，怎麼樣對她說才得體呢？就這樣三更半夜的，闖進去把她從床鋪上拉起來，表姊她一定會懷疑，發生了什麼事，那她同徐文中約定好了的計劃就不會成功了！

應該明天到學校才慢慢跟她提出來，在聊談中，要她把她的徐文中請出來，讓我見識見識！

打定主意，吳秀美掉轉身子走回宿舍；躺在床上，她竟然瞪著天花板無法入睡。她想起徐文中，那個她們辦公室的真正徐文中；她發覺，才兩天她竟深深的愛上了他，願意為他做一切好事。

以前，她根本不相信世上有可能「一見鍾情」的事，她一直認為，感情是需要慢慢培養出來的；可是，現在，這種不可能的事竟成了事實，並且發生在自己身上。

她禁不住的傻笑起來，男女之間的感情竟會這樣微妙，不可能的一旦變成可能，任你再不相信也只好低頭默認了！

徐文中是個有為的青年，從他的作品可以看出來，他懷有遠大的抱負，他懂得生命的目的是什麼，在他的「春之旅」那短文裡，他說：「天堂不是一個地方、一段時間，因為地方與時間都毫無意義可言，天堂是一種完美的追求。」

第二天到學校，吳秀美正拿著報紙副刊在看徐文中今天發表的作品；這時，潘英正好進到教室來。

「表姊，妳看。」吳秀美指著報上徐文中鉛印的名字。

「我知道了。」她笑笑說：「吳秀美，妳也喜歡他的作品？」

「嗯！」吳秀美點點頭。「表姊妳呢？」

「我當然喜歡。」她停了一下：「秀美，有很多事常會出人意料外的。」她說到這裡，突然把話停住下來。

「哦？什麼事會出人意料外的？表姊，難道妳們之間有了齟齬不成？」

「沒什麼，我只是有點懷疑，懷疑他——」她把吳秀美拉到教室的牆角去。

「他怎麼啦？」吳秀美緊接著問道。

「他不像他作品裡的他！」潘英憂怨的說道：「我總是無法把他同他的作品連繫起來，在他的作品裡的那股優越的素質，在他身上卻無法發現！」

「哦，是這樣嗎！」

「妳沒見過他，妳只讀過他的文章，假如妳跟他見過面，妳就會相信我的話了！」

「表姊，我想有機會見見他，也許我要求得太高？」

「要求太高？要求什麼太高？」

「此方說，在妳初讀他的作品的時候，妳把他當神看待，其實，神與人之間，只不過一線之距，當你們相處久了，妳發覺他不再具過去的神秘感，妳在心裡的好奇和崇拜慢慢趨於平淡；其實，他還是原來的他，可是，妳卻因此有了失落感。」

「不！不，秀美，妳說的這些我都懂，我的意思是說，我是說，他整個人都不像！」潘英眼眶有些濕潤的，「一開始的時候，我並沒有感到有什麼不對，但相處久了，我才慢慢的發覺，然而，已經…已經……」

「表姊，妳說什麼？妳……」

「教授進來了，我們晚上談，喔，晚上妳要上班，其實，我也很想出去兼職！」

「下班回來，我到妳宿舍，我們來一次竟夜談。」

「妳不累？」

「怎麼會，怕妳！」

「我歡迎都來不及呢！最近，我一直失眠！」

「那好，我晚上去打擾妳。」

「妳一定要來，就在我那裡睡。」

「好的，我下班後直接到妳宿舍！」

潘英變了，才幾個月，一個活潑的女孩子一下子變得憂鬱深深，好像完全變成另一個人似的，往日的歡笑，一掃而空；難道，她已發覺，那個徐文中並不是會寫散文的徐文中？

吳秀美聽了潘英這席話後，著實怔住了，表姊到底是聰明有見識的，雖然她追求徐文中是基於一種狂熱的崇拜，可是，一旦發現不對，她還是會自我認錯。

沒想到事情進行得這麼順利，表姊既然有這種感覺，那麼，若果把這件事揭穿開來，相信她所受到的打擊，會比完全不知來得要好，至少，此時她心裡已經有了些許準備了。

上班的時候，她把經過詳細的說給徐文中知道，當他聽到了潘英的改變時，禁不住的長嘆了一口氣。

「是誰這樣作孽呢？」

「一定是你左右的人。」

「我想也是，會不會是他！」徐文中忽然記起那封信，陳太原當著舍友宣讀的信。

「是誰？」

「我想不會，他不會那麼無聊惡作劇的。」

「不管了，反正真假徐文中見面就知道是誰！」

「她會答應？」

「我會盡全力去催她。」

「太麻煩妳了。」

「你要怎麼謝我？」

「怎麼謝妳？」徐文中反問她道：「怎麼謝妳，妳說好了！」

「不要，我要你自己想。」

「好，我回去想想！」

果然，潘英吃過晚飯後就直接回宿舍，她把徐文中的作品剪報，以及他給她的信重新整理出來。那些信，她都一封封的編有號碼；那些作品，她也都一篇篇的把它們剪貼在一本十六開的筆記薄上，並且在文後寫下她的讀後感，有的，更加上些許的批評意見。

她反覆的讀著那些信，那些作品，她愈感覺到，它們之間有種莫名的距離，信是一個人寫的，而作品卻是另一個人寫的，兩者之間，說什麼也合攏不起來。

看著看著，也竟禁不住的淌下眼淚來，好像有一種不祥的預兆，他會離開她。

她再也不能離開他了，雖然，他們才認識幾個月，但，感情這東西確實是很微妙的，有時，幾年也進步不了一分一寸，有時卻一日千里萬里。

她愛他，他也愛她，他們在花前，在月下，信誓旦旦地，但願生生世世永結連理。然而，她已然覺得，他會離開她，她也會離開他：儘管，此時，她說不出為什麼，但她相信，這一天遲早就要來臨的。

電鈴聲響了，潘英從幻夢中驚醒；她已意識到，是吳秀美來看她。

她知道，老早她心裡就明白，吳秀美也喜歡徐文中，否則，她就不會一再的留心徐文中的作品。可是，潘英忽然冷笑出聲來：這小妮子，她懂什麼，假如她認識他，她一定會失望的！

「表姊！」果然是吳秀美在叫門。

「來了！」

「妳睡著了？」

「沒有呀，我在等妳。」

門開了，吳秀美突地發覺到潘英的兩眼異樣；於是，她關切的問道：

「表姊，妳怎麼啦？」

「沒有！」潘英拭著眼睛說。

「妳不是上床了？」

「我在等妳。」潘英再次的說道。「我在房裡等妳來呢！」

她們相偕走進了潘英的臥房，吳秀美第一眼就發覺，表姊的書桌上，有一疊信和一本剪貼薄。

「是他的信？」

「嗯。」

「很多！」吳秀美走進書桌，用手壓了壓那些精美信封。「都是他的！」

「都是他的。」

「表姊，妳好幸運啊！」

「怎麼說？」

「好像誰這樣說過，一個人活在世上，只要有一個異性忠實的熱愛著妳，那她就是世上最幸運的人。」

「妳怎麼知道他忠實的熱愛著我呢？」

「這些信就是證據！」

「秀美，妳錯了，真正的愛情並不需要言語。」潘英停了一下，又說道：「妳沒聽說過嗎，無聲勝有聲。」

「這個我不懂，也許因為我還沒有異性朋友的緣故吧！」

「妳會懂，有一天妳會懂！」她喃喃的說著。

接著，是一陣的沉默，很長很長。

吳秀美原先以為，今晚見了表姊，第一句話就問她介紹她的徐文中；可是，當她走進了表姊臥房，同她談了幾句，她發覺氣氛有些不對。

她忍住了，她在等待機會。

想不到，表姊竟然出乎她意料外的聰慧，尤其對男女之間的情愛方面，她有著一大堆她完全陌生的學問。有人說，戀愛中的男女是糊塗的，多驕傲的，以前，她是，她是那樣的，但幾個月下來，她變了，她好像遭受了某種打擊，這打擊震撼了她的潛在智慧，把她整個人都轉變了。

這是為什麼呢？難道表姊她已然有了什麼不可告人的秘密？……

吳秀美猜不透，她無法瞭解此時潘英的心理，當然更不可能知道表姊到底發生了什麼？有什麼不可告人的秘密存在。

男女之間的情愛，她確實不懂，什麼真正的愛情是無聲勝有聲，是心靈的融通；這些名詞，雖然，她也在書本上看過，讀到過很多次。但，就像一道深奧的數學題目，雖然看了說明，研究過題解，可是在未獲師傅傳授，親自未去演算之前，她依舊不能充分的明白它的內涵。

表姊看來像是懂了，否則她就不會改變，不會憂鬱。這陣子的沉默，真叫人心急如焚，更使人替她擔憂。

難道，表姊已經受了欣騙？把整個心奉獻給那位徐文中，之後，聰明的她卻發覺所事非人，但為時已晚了！

這是有可能的。近年來，西風東漸之後，男女社交不再含蓄，有很多輕浮的青年，尤其自命前衛的大學生，他們對那循規蹈矩的婚姻程序，視為落伍。男女一旦認識，還談不上充分瞭解，就急急忙忙的打破傳統，進行性生活。等到有一天，發覺志趣相異，就揮手分離。於是，許多不幸就因此產生了。

表姊的徐文中可能就是這種人，他趁表姊瘋狂的崇拜他的時候，誘騙了她的身子，然後……

吳秀美想到這裡，禁不住的氣憤起來，突地，打破沉靜，大吼似的叫了一聲：

「表姊，你——」

「我怎麼啦！」潘英也抬起頭來反問。

「你們！」

「我們？我們怎麼樣？」

「你們—你們，」吳秀美把心裡想說的話又嚥了回去，「你們，沒什麼，沒什麼。」

她聳下肩，「沒什麼，表姊，沒什麼，我說沒什麼。」她愈說沒什麼，愈像有什麼的分辨不清起來。

「唉！」潘英已然意會得出吳秀美的話意，長長的嘆了口氣：「不瞞妳說，妳猜對了！」

「我猜對了？」吳秀美一怔：「我猜對什麼？」

「妳不是問我。」

「我問妳什麼？」

「妳不是問我，我們有沒有什麼嗎？是的，我們有過什麼！」潘英的眼眶潤了，話也啞了：「我們女孩子，就是吃虧在這裡，秀美，以後妳一定要小心，不要隨便聽信男孩子的甜言蜜語！」

「表姊，妳是說，妳同他——」

潘英兩眼含淚，點點頭，眼珠像串斷了線的真珠，撲簌簌滾下臉腮來了！

吳秀美心裡難過極了，果然是這樣，完全是她擔憂的事竟真的發生了，想不到美麗聰慧的表姊，竟然會遭此天大的不幸；她真恨不得立刻刮徐文中一記耳光！

會不會是他？徐文中，那個徐文中？

「表姊，妳說他不是寫文章的徐文中？」

「他不是。」

「妳怎麼知道，妳去調查過？」

「我不用調查！」

「喔！」吳秀美點下頭。「我也認識徐文中的……」她把話轉入正題。

「妳要小心！」潘英立刻提出警告：「他是個騙子！」

「他不是！」

「我還會比妳不清楚？」潘英幾乎吼叫起來：「妳說，妳認識他多久？」

「兩天！」

「混帳！」潘英突地揮起玉掌，用力的摑在吳秀美的臉蛋上：「不要同他往來……」

「表姊！」吳秀美想要辯白。

「不要再說了！不要再說了！」

「表姊！」吳秀美矇住臉頰，「妳聽我解釋，表姊，妳聽我解釋！」

「我不要聽！我不要聽！」潘英把兩隻耳朵掩起來：「我不聽妳解釋！我不要聽妳解釋！」她說著，放聲的哭泣起來了。

吳秀美悲傷的擁抱住潘英，也陪著她流淚。

一個女子，她寧可失去一隻手，一條腿，但不願失去她的貞操。當她一旦發現，她被欺騙失去她寶貴的貞操時，誰都會痛不欲生的。

或許你會在報章雜誌上讀到這樣一則新聞報導：一個妙齡少女，佇立在鐵道上，張開雙手，逢接著向她疾馳而來的火車；最後，慘死在鐵輪之下。

你一定會在腦海裡想，說她笨，或稱讚她勇敢。但，你知道否，她為什麼要做這椿傻事？無非是「被騙失身」的緣故。

潘英，她的處境，吳秀美此時看到她的異樣行為已完全明白了，她只有同情她，安慰她，陪她流淚之外，還能做些什麼呢？

在這開放性的社會，社交公開的社會，儘管有人說，女孩子最佔便宜，出門坐車不要錢；看電影有人買票；吃館子有人付帳。可是，一旦發生這種事，男孩子才真正是佔便宜，吃虧的只有女子！

吳秀美不想再同表姊爭辯下去，管他真假徐文中，她知道，此後最好都不要在表姊面前提到徐文中三個字，就讓它去自生、自滅吧！

然而，過了約有一個禮拜，吳秀美愈想愈氣，對那個假徐文中。她不能眼睜睜的看他再騙下去，她要揭穿他的假面具，讓表姊面對現實，挽救她免向死亡界域前進。

於是，她又重新設計一個計劃，再次的前來探望表姊潘英。

「表姊！」她警告自己，說話要小心謹慎，這次，只許成功，不能失敗。

「是秀美嗎？」潘英躺在床上應答：「門沒鎖，請進來。」

「表姊，」吳秀美打開房門，跨進潘英的臥室：「我來同妳商量一件事。」

「請坐，」她坐起身子：「什麼事？妳說。」

「表姊，記得妳好像同我提過想出去外面兼職，其實，我看妳是隨便說說的！」她拿眼角偷偷的看潘英的反應。

「妳替我找到事了？」潘英反應真快。

「我們公司是有個缺！」

「什麼樣的工作？我行嗎？」

「很輕鬆，妳一定能勝任，只是錢不多！」

「錢的問題在其次，我只想出去做做事，否則，人真要悶死了！」

「那好，明天吃過晚飯後，我來陪妳去看看！」

「可以，一言為定！」

「那就不打擾妳了，明兒見！」

「明兒見！」

第二天晚飯後，吳秀美果然來帶潘英，她們比平常上班早去了半個小時。到了辦公室，但見徐文中一個人等坐在那兒。

潘英小聲的問：

「秀美，老闆是那個年輕人？」

「不是，他不是老闆，老闆還沒來，他是我們辦公室的同事，在C大。」

吳秀美向徐文中打招呼：「徐先生早，來，表姊，我向妳介紹，」她把潘英拉過來，對著徐文中說：「她是我表姊潘英，」她又介紹徐文中說：「他就是我上次同妳提起的徐文中先生！」

「徐文中！」潘英睜大了眼睛，直瞪著眼前這個男子，她有些不相信自己耳朵的，喃喃的唸著：「徐文中……」

「潘小姐，久仰，我叫徐文中，在C大中文系畢業班，以後請多指教！」

「你是徐文中？你真的是徐文中？」潘英心緒很亂，失態的追問。

「是的，潘小姐，難道妳還認識另一個徐文中不成？」

「秀美，他真的是C大徐文中？」

「表姊，請原諒我，我實在是為妳好，才事前沒把我們的計劃說出來，他才是真正C大的徐文中，會寫散文的徐文中！」

「………」

「妳看，這是他的學生證，相片上有騎縫鐵章，不會假的！」

「那——」潘英的精神像是突然間崩潰了，但她還努力的撐持著。

「表姊，我們是在無意中發覺這件事的，承徐先生的幫忙，想把這件事弄個水落石出，現在，妳看看這張照片，這個人妳認識他嗎？」吳秀美把徐文中交給她的陳太原的二寸半身相片遞給潘英。

潘英接過照片，看了一眼，心裡明白九分。

「徐文中？」吳秀美問道。

潘英點點頭。

「表姊，我們知道這是怎麼一回事了，其實，這張相片上的人不叫徐文中，是徐文中先生同室的舍友陳太原先生！」

「…………」

潘英把相片用力的撕成碎片，沒有說一句話，也沒有打一個招呼，轉身，奔出辦公室。

「表姊！表姊！」吳秀美緊接著也追了下去，一面對愣在後面的徐文中客氣的說：「徐先生，幫我請假，我怕我表姊發生意外！」

「秀美，妳快去，我隨後就來！」

※　　※　　※

潘英自殺了，雖然沒有死成，卻因吃過量的安眠藥被送進臺大醫院。

這件事立刻驚動了C大一〇八室每一個人，他們紛紛的責備陳太原的不是，一致的催促他前往臺大醫院向潘英致歉，並表明真誠愛她的心意。

「我是真心愛她的！」陳太原痛苦的申辯：「我是真心愛潘英的，可是，她心目中只有徐文中！」

「那你為什麼要欺騙她？假冒徐文中的名字？」李旺氣憤的指責：「男子漢大丈夫，行不易姓，坐不改名，自己沒本領，不努力用功，還無聊的去假冒做假！」

「李旺，不要再責備太原，其實，都是我不好。」徐文中想起以前答應陳太原回潘英信的情景，「早知道，我把那封信丟到字紙簍，就沒有今天的事發生！」

「文中，你不要太責難自己。」

「我早先不應該答應太原給潘小姐回信。」

「太原也太過火了，武俠小說上說『點到為止』，他卻非追根到底不可！」沈宗裕也在一旁插嘴。

黃天南這下也開腔了：

「太原，你應該答應要潘小姐做太太！」

「她並不愛我！」陳太原哭喪著臉：「她愛的是徐文中！」言下，不勝唏噓。

「太原，你說那裡的話，她不愛你，怎麼會同你——」徐文中也學武俠小說原則，點到為止。

「她以為我是徐文中你啊！」

「徐文中，徐文中，」徐文中冷笑說道：「徐文中只不過是個符號，空洞的符號，它值幾個銅板？」

「在潘英心目中，有如雷霆萬鈞！」

「太原不要再說了，徐文中沒有一樣比得上你的！」

「不！你比我強！」陳太原反駁道。

「強什麼？」徐文中反問：「我出生貧困，無才無德，我有什麼可以保障潘英過幸福的生活的呢？」他噓了一口氣：「可是，你就不同了，令尊是中央級官員，家境富裕，要什麼有什麼。雖然，現在你在學校的功課不理想，成績沒有我好，但，學校的成績代表什麼？我依靠工讀，學人煮字，我有什麼出息？徐文中能有什麼大——出——息！」徐文中說到最後，禁不住的大聲的吼叫起來。

李旺看看情形不對，走過來拍拍徐文中的肩胛，安慰他道：

「文中，你不要太激動，古人說，將相本無種，男兒當自強，你怎麼突然英雄氣短起來？」李旺抬頭看看陳太原，再看看沈宗裕、黃天南。最後對床鋪上的趙欣瞪了一眼：

「我們六個人，這一生誰好誰壞，誰能成功，誰會沒出息。現在尚言之過早。這要畢業之後，看誰再繼續努力不懈，誰的際遇好、壞來做決定。」李旺說到這裡，又頓了一下，重新拍了拍徐文中的肩膀，再拿眼睛看了看另外四個舍友：「現在，我們不去談這個，辯論這些事，我要求大家，一同到臺大醫院探望潘英小姐，向她致歉；至於以後她愛誰，要跟誰的事，讓她和他去做決定，我相信這件事，局外人是無能為力的！」

「李旺說得對！」沈宗裕第一個附議。

「趙欣，起來吧，不要再懶在床上了！」黃天南走到趙欣的床鋪前，伸手去拉趙欣的手臂：「說不定，我們在臺大醫院碰到你的大眼睛姑娘周春花小姐喔！」黃天南第一次向趙欣開玩笑！

「你們說去自己去，別人的家事我不願意管。」

「趙欣！」李旺沉聲的叫道：「一道去！」

「我不去！」

「為什麼？」李旺問。

「不為什麼？」

「你不是一〇八室的人嗎？」

「一〇八室對我只有痛苦！」

「你真這麼想嗎？」

「嗯！」

「好！好！」李旺沒好氣的連說了兩個好字：「你這個一〇八室的叛徒！」

「叛徒？嘻！」趙欣從床鋪上跳下來：「李旺，就要畢業了，我不再是一〇八室的人了，叛徒就叛徒，我的事你管不著！」

「誰要管你——」

「最好！早先你若不多事，她也不會——」趙欣想到周春花的不告而別！

「趙欣，」這下，陳太原和徐文中同時開口：「趙欣，你說話要經過大腦，早先如果不是李旺出面，你不僅搬出一〇八室，也許連C大也不要你了！」

「…………」趙欣啞口無言。過了一會，他向李旺道歉說：「對不起，室長，我錯了，我與你們同行，你們到那兒，我就到那兒，再說一個不字，我就不姓趙！」

「走！室長，趙欣已經認錯了，原諒他。」

「走吧！一〇八室的伙伴們，該走的路在等著我們去走完它呢！」

民國六十年二月　松風月刊

國家圖書館出版品預行編目資料

路遠迢遙 / 陳韶華著. -- 初版 -- 臺北市：
文史哲, 民 105.09
頁; 21 公分（文學叢刊；369）
ISBN 978-986-314-327-7（平裝）

857.7　　　105016735

文學叢刊 369

路遠迢遙

著作者：陳韶華
臺北市仁愛路二段四十二巷二之四號二樓
電　話：02-2321-1955
封面設計：陳逸多
郵撥帳號：19659236 陳逸多帳戶
出版者：文史哲出版社
http:// www.lapen.com.tw
e-mail：lapen@ms74.hinet.net
登記證字號：行政院新聞局版臺業字五三三七號
發行人：彭正雄
發行所：文史哲出版社
印刷者：文史哲出版社
臺北市羅斯福路一段七十二巷四號
郵政劃撥帳號：一六一八〇一七五
電話886-2-23511028・傳真886-2-23965656

定價新臺幣二〇〇元

民國一〇五年（2016）九月初版

ISBN 978-986-314-327-7　　09369